Collection

cascade

Policier

NATHALIE CHARLES

LES FICELLES DU CRIME

COUVERTURE DE ALAIN GAUTHIER

RAGEOT•ÉDITEUR

Collection dirigée par Caroline Westberg

ISBN 2-7002-2645-3
ISSN 1142-8252

LA BELLE AU BOIS DORMANT

**SUR LES ÉTIQUETTES ROUGES,
LES PRIX BOUGENT,
PROFITEZ DE NOS PROMOTIONS
POUR FÊTER LE RÉVEILLON.**

L'annonce publicitaire prononcée d'une voix suave agaça Isabelle. Étourdie par la chaleur suffocante, elle réajusta la grosse pince qui retenait ses cheveux noirs.

Elle venait de parcourir en vain les trois étages du grand magasin dans l'espoir de rencontrer Gilles. Gilles ! Son cœur se froissa comme une enveloppe de bonbon à l'évocation du jeune homme mince, aux cheveux châtains, aux yeux rêveurs.

Âgé de dix-neuf ans, un BEP de menuiserie en poche, il préparait un bac professionnel dans le lycée où elle étudiait la couture. *L'Entrepôt* l'avait engagé comme extra pour les vacances de Noël. Isabelle avait fait sa connaissance grâce à Rosa, une copine de classe, qui l'avait un jour entraînée vers deux garçons discutant dans la cour.

– Isa, je te présente Manu, mon frère. Il est en BTS. Et voici Gilles, son meilleur ami depuis le collège, avait-elle ajouté en désignant le jeune homme vêtu d'un blouson de cuir, qui portait un petit anneau à l'oreille droite. Figure-toi qu'il nous a convaincus de monter un spectacle de marionnettes pour les enfants ! Il connaît quelqu'un qui peut nous aider. Génial, non ?

Immédiatement séduite par l'air énigmatique de Gilles, Isabelle avait proposé de confectionner les costumes des marionnettes. De discussions en réunions, le projet de la bande avait pris tournure. La première représentation était prévue le 25 décembre, dans une école primaire voisine du lycée professionnel. Au fil des séances de travail, l'attirance de la jeune fille pour Gilles avait grandi. Lorsqu'elle croisait son regard noisette, l'émotion l'envahissait. Elle avait l'impression de perdre ses moyens, de redevenir une gamine. Pourtant, jamais ils ne discutaient de choses personnelles, jamais il ne lui posait de questions sur elle. Était-ce à cause des autres ? Elle aurait donné beaucoup pour le voir seule, sans Manu ni Rosa.

Elle s'arrêta devant les présentoirs de maquillage. Des poudriers s'ouvraient comme des coquillages, des bâtons multicolores sortaient de cylindres luisants et doux au toucher. Elle essaya sur le dos de sa main plusieurs rouges à lèvres et allait se décider à en acheter un lorsqu'elle avisa le prix : quarante-deux francs. Non, ce n'était pas raisonnable. Elle avait trop peu d'argent pour finir le mois. Pourtant, la teinte prune la séduisait terriblement. Exactement la couleur qui convenait à sa peau claire et à ses yeux verts. Le cœur battant, elle serra le tube au creux de sa main. Qui donc la remarquerait ?

Deux filles la dépassèrent en riant fort, avantageusement moulées dans des pantalons pattes d'éléphant et des pulls rayés ajustés. De grands sacs à l'enseigne du magasin se balançaient au bout de leurs doigts. Isabelle les regarda avec envie et se remit en marche. Mais, en cette fin d'après-midi, la cohue devenait considérable. On se pressait, on s'agglutinait. Les vendeuses résistaient tant bien que mal à la marée montante des clients. Enfin, elle atteignit les portes en verre qui battaient au rythme des entrées et des sorties. Des bouffées d'air froid, provenant de la place de la République, lui sautèrent au visage. La délivrance !

– Veuillez me suivre, mademoiselle !

La voix avait chuchoté à son oreille. Isabelle se retourna dans un sursaut. Un grand type noir en costume-cravate la dévisageait froidement. Un badge « sécurité » était accroché au revers de sa veste.

– Pardon ?

– Accompagnez-moi sans faire d'histoires.

Il lui avait saisi le bras et l'entraînait déjà vers une allée latérale.

– Moi ? Mais vous devez faire erreur ! s'insurgea-t-elle en tentant de se dégager.

– Nous allons vérifier tout de suite.

La voix, courtoise, se teintait d'ironie.

Le cœur battant, les joues en feu, la jeune fille obtempéra. Sa main crispée, presque entièrement dissimulée par la manche de son manteau, tenait toujours le tube de rouge à lèvres. Elle s'était montrée stupide ! Cette babiole allait lui causer des ennuis inversement proportionnels à sa taille ! Effrayée, elle pensa à la réaction de ses parents si cette affaire leur parvenait aux oreilles.

Près des ascenseurs, en face des toilettes, une porte indiquait « RÉSERVÉ AU SERVICE » ; l'ayant franchie, le vigile la mena au bout d'un long couloir éclairé au néon, dont la peinture s'écaillait. L'envers du décor... Elle se retrouva dans une pièce aménagée en bureau. Une rangée de téléviseurs montraient sous des angles différents l'intérieur du magasin.

– Alors, Éric, la pêche a été bonne ?

Un gros rouquin, affalé dans un fauteuil, s'était tourné vers eux et examinait Isabelle en mâchant du chewing-gum.

– On a fait ses petites emplettes ? reprit-il en faisant claquer sa langue. Tu n'as pas honte de voler ? Une jolie fille comme toi...

Ses petits yeux verts détaillèrent les bottes à bouts carrés qui montaient aux genoux, la jupe portefeuille à grosses rayures jaunes et violettes, le pull moulant sous le manteau noir entrouvert.

– Vous vous trompez ! Je n'ai rien fait !

– Ben voyons ! C'est tout de même pas ton sosie que j'ai vu là, devant les rouges à lèvres ? Allez, déballe, sinon je vais être obligé de te fouiller.

– Vous n'avez pas le droit ! C'est une femme qui doit le faire.

– Pas de chance, il n'y en pas dans notre équipe de surveillance ! gloussa-t-il. Et on ne va pas déranger les vendeuses. Elles ont bien assez de travail ! Donne-moi ça !

Il désignait du doigt le long manteau d'astrakan qu'elle avait déniché aux puces et auquel elle avait redonné une seconde jeunesse.

La mine sombre, la jeune fille sortit de sa poche le tube nacré.

– Non, ce n'est pas la peine. Tenez !

– Eh ben voilà ! railla-t-il. Tu deviens raisonnable ! Tu as de quoi payer ?

Les larmes aux yeux, elle fit signe que non.

– Voilà où ça mène de vouloir vivre au-dessus de ses moyens ! Je vais être obligé de noter ton nom et ton adresse. Au cas où tu aurais envie de recommencer...

D'une main tremblante, elle ouvrit son sac de raphia et lui tendit sa carte d'identité. Le rouquin prit un stylo et consigna laborieusement les informations dans un registre.

– Méret Isabelle... tu as tout juste seize ans, dis donc ! Domicile : 27 rue du faubourg du Temple. Une voisine, en somme !

– Regarde ! s'exclama soudain le grand Noir en pointant son index sur l'un des écrans. La sorcière ! Là ! Cette fois, elle ne s'en tirera pas comme ça !

Il se rua vers la porte.

Instinctivement, Isabelle se tourna vers le téléviseur. Au rayon des bijoux fantaisie, une fille très brune, en veste de cuir incrustée de petits clous argentés, essayait des bracelets. À chaque mouvement de son poignet, ses ongles, laqués de noir, longs comme des griffes, apparaissaient.

– On passe l'éponge pour cette fois ! laissa tomber le rouquin en lui rendant ses papiers. Mais fais gaffe ! Maintenant, t'es fichée ! Qu'on ne t'y reprenne plus, sinon tu auras de gros ennuis !

Soulagée, Isabelle ramassa ses affaires sans un mot ni un regard pour l'homme. Il lui tardait de se retrouver à l'air libre. Elle longea en hâte le sinistre couloir et poussa le lourd battant, les mains tremblantes. L'effervescence du magasin, qu'elle avait momentanément oubliée, l'étourdit. Elle s'arrêta pour reprendre ses esprits. À quelques mètres d'elle, le vigile venait d'intercepter la « sorcière ». Elle ne put s'empêcher de l'observer avec curiosité, frappée par son visage de chat. La jeune voleuse tourna brusquement la tête vers elle et, un instant, leurs regards se croisèrent : ses yeux cernés, très maquillés, étaient habités d'une indéfinissable tristesse.

« Bon courage, ma vieille ! » pensa-t-elle en frissonnant au souvenir du sinistre bureau.

Elle gagna rapidement la sortie et aspira avec avidité l'air glacé. Sur le trottoir, les passants s'écrasaient, béats, devant les vitrines où tout un peuple d'automates s'agitait. Elle les bouscula, envahie d'une colère sourde. Dix-huit heures trente ! Cela faisait une demi-heure que Manu et Rosa l'attendaient au lycée. Le proviseur, séduit par leur projet de spectacle, avait accepté de leur prêter le foyer des élèves pendant la première semaine des vacances.

La place de la République était envahie de voitures. Les klaxons retentissaient à qui mieux mieux. Les illuminations de Noël, suspendues entre les arbres, rougeoyaient sur l'asphalte.

– On a bien avancé ce soir ! lâcha Manu en enfonçant un bonnet de laine noir sur son crâne presque rasé. Les dialogues sont enfin bouclés et les costumes des marionnettes sont super. Bravo Isa !

– Oh ! Ce n'est pas grand-chose !

– Allez... railla Rosa, la sœur de Manu, une jeune fille aux formes généreuses. Tu es douée, reconnais-le... La mère Trapon te met toujours d'excellentes notes ! Et pourtant, c'est la plus vache des profs de coupe du lycée ! Plus tard, tout le monde s'arrachera tes créations et tu gagneras des milliards !

— En attendant, grimaça Isabelle, vous devrez patienter jusqu'au mois prochain pour que je vous rembourse le restau...

— Pas question ! protesta le jeune homme. Tu nous inviteras quand tu pourras !

Tous les trois descendaient le boulevard de Magenta. Après leur séance de travail, ils avaient dîné dans un petit restaurant tunisien du quartier. La nuit était froide, coupante comme un morceau de glace. Sur la chaussée, les voitures formaient une guirlande clignotante, jaune et rouge.

— Déjà onze heures ! Dans dix minutes, tu seras bien au chaud dans ton lit, veinarde ! bâilla Manu.

— Au chaud ! C'est vite dit ! La chambre de bonne que me prête Mme Lacroix est pleine de courants d'air ! Mais je ne me plains pas... Je préfère dormir en pull-over et avoir un « chez-moi » sous les toits.

Rosa éclata de rire devant la mine perplexe de son frère.

— Manu ne peut pas comprendre ! Il a beau être majeur et mesurer un mètre quatre-vingt-cinq, s'il n'avait pas sa petite maman pour le réveiller en douceur tous les matins en lui annonçant que son petit-déjeuner l'attend dans la cuisine, il serait perdu ! N'est-ce pas, frangin ?

– Ça va, ça va ! Au lieu de débiter des âneries, donne-moi les clés de la voiture. Tu viens demain après-midi chez Dupré ?

– Oui, acquiesça Isabelle. Les petits monstres passent la journée à Disneyland avec leur mère, déclara-t-elle en songeant aux trois enfants Lacroix dont elle s'occupait quotidiennement. Pas de baby-sitting en perspective. Juste la corvée de repassage !

Il ouvrit la portière de la camionnette familiale et s'installa au volant.

– Gilles aura terminé la marionnette de Petit Bêta. Vous verrez ensemble, pour le costume.

Le cœur de la jeune fille tressauta délicieusement.

– Entre le spectacle à répéter et son job à *L'Entrepôt*, il ne profite guère des vacances de Noël ! murmura-t-elle d'une voix qu'elle essayait de rendre indifférente.

– Je trouve qu'il s'en sort vachement bien ! rétorqua Manu. Dupré, qui est un pro, trouve ses marionnettes super ! Et puis Gilles a besoin d'occupation. (Il désigna son crâne de son index.) Sinon, il cogite trop, et ça ne lui réussit pas. On te dépose devant chez toi, Isa ? On tient à trois, serrés sur la banquette.

– Merci, refusa-t-elle dans un sourire. Je vais marcher un peu.

Elle attendit que la vieille Ford blanche s'éloigne, puis elle remonta le boulevard. Le froid et la nuit reprenaient possession de la ville, enfin délivrée du grouillement des piétons. Les vitrines de *L'Entrepôt*, tout illuminées, s'offraient aux rares passants.

– Oh ! Regarde, papa ! La dame, elle dort ! s'exclama un garçonnet emmitouflé dans un bonnet et un anorak.

– Mais oui, mais oui... répondit le père d'une voix impatiente, en traînant le gamin derrière lui.

Isabelle s'approcha à son tour. Elle détestait Noël, cette fête obligatoire, et pourtant, une sorte de fascination la poussait contre ces vitrines derrière lesquelles des automates se mouvaient. La direction du magasin avait retenu cette année le thème des contes de fées.

Amusée, elle contempla l'évocation de *La Belle au bois dormant*. Au milieu de buissons et de feuillages qu'on aurait juré vrais, des écureuils et des lapins sautillaient, grâce à la magie du savant mécanisme qui réglait leurs mouvements. Tout au fond, un rideau figurant les portes d'un palais s'entrouvrait à intervalles réguliers, dévoilant une poupée de la taille d'une femme, étendue sur une couche brodée de fils d'or. La Belle au bois dormant, drapée d'un long manteau de satin bleu, reposait. Un capuchon couvrait le haut de son visage, légèrement tourné vers le fond de la vitrine. Ses mains étaient croisées sur sa poitrine.

Soudain, alors que le rideau s'écartait à nouveau, le regard d'Isabelle s'arrêta sur une des mains de la princesse. Une main très blanche, aux longs ongles laqués de noir.

Elle sursauta, horrifiée.

Ce n'était pas un mannequin qui reposait, mais la voleuse du kiosque à bijoux. Son immobilité était absolue, quasi surnaturelle. Elle ne dormait pas. Elle était morte.

LE COMMISSAIRE DAVANT

Devant la porte blindée du cinquième gauche, le lieutenant de police Michel Garrigue respira profondément pour calmer les battements précipités de son cœur. C'était la première fois qu'il se rendait au domicile du commissaire. Quand il l'avait appelé au milieu de la nuit pour lui annoncer qu'un crime avait été commis à *L'Entrepôt*, son supérieur, secoué par une quinte de toux, la voix presque inaudible, lui avait demandé de passer à huit heures pour faire un rapport. Il ne pouvait pas se déplacer, cloué au lit par la grippe.

L'officier lissa ses fines moustaches brunes, contempla le bout de ses bottes et sonna. À l'intérieur, le parquet grinça : on l'observait par le judas. Enfin, on ouvrit. Un homme mal rasé, en peignoir blanc, lui faisait face, l'air maussade, les cheveux en bataille.

– Navré de vous déranger de si bonne heure, mais...

D'un geste, l'homme l'interrompit et lui fit signe d'entrer.

– C'est votre coup de fil de cette nuit qui m'a dérangé... Je n'ai pas réussi à fermer l'œil depuis. Vous non plus, ajouta-t-il en avisant le visage blême du policier, vous n'avez pas beaucoup dormi !

Garrigue joua nerveusement avec la fermeture éclair de son blouson en se mordant les lèvres.

– Attendez-moi là... Je reviens.

Jean Davant disparut au fond du couloir et poussa une porte.

Dans la chambre baignée de pénombre flottait une forte odeur d'eucalyptus.

– Flo ! Réveille-toi ! Ta visite est arrivée.

Le corps roulé en boule gémit. Florence Davant ouvrit les yeux. Le mal de tête était toujours là. Son bras émergea des couvertures et se tendit en direction de la table de nuit, encombrée de médicaments. Sa main entra en collision avec le réveil.

– Déjà huit heures ! marmonna-t-elle. Je t'avais pourtant demandé de me réveiller plus tôt. Je nage dans le cirage ! De quoi j'ai l'air ?

– D'un commissaire de police sur le flanc,

qui devrait se reposer, répondit son mari d'un ton désapprobateur.

Elle se redressa.

– Ouvre les rideaux, s'il te plaît !

Il s'exécuta.

– Avec la fièvre que tu as, j'ai préféré te laisser dormir le plus longtemps possible. Bon, tu le reçois ici, ton colonel ?

– Lieutenant ! Tu sais bien qu'on dit lieutenant ! Oui. Fais-le venir. Passe-moi mon peignoir, que je sois un peu plus présentable.

Il regagna le vestibule. Le policier était absorbé dans la contemplation de trois photographies accrochées au mur. Trois portraits noir et blanc grand format de la même jeune femme brune.

– Beaux clichés, non ?

– Magnifiques ! acquiesça Garrigue. Pris à Chicago, n'est-ce pas ?

– En effet. Au temps où Florence posait comme mannequin pour financer ses études. Mais c'est vrai, vous êtes au courant ! C'est à cette époque que vous avez fait connaissance... Elle m'a raconté.

– Oui. Cela remonte à une quinzaine d'années, et pourtant j'ai l'impression que c'était hier, lâcha Garrigue.

Jean Davant jaugea la silhouette de petite taille, les bottes camarguaises démodées, les cheveux filasses qui commençaient à se raréfier. « Même avec quinze ans de moins, pensa-t-il, ce type-là ne tient pas la comparaison. »

Rassuré, il lui désigna le couloir du doigt.

– Elle vous attend. Dernière porte à gauche.

Adossée à ses oreillers, Florence rêvassait en attendant Garrigue. Il travaillait avec elle depuis quelques mois au commissariat du dixième arrondissement de Paris. Quelle n'avait pas été sa surprise de le voir débarquer, un matin de juin, dans son bureau.

– Michel ? C'est donc toi qui nous viens de Grenoble ? J'ai bien vu ton nom sur la feuille d'affectation, mais je n'ai pas fait le rapprochement !

Ils ne s'étaient pas revus depuis les États-Unis où, sa licence de droit en poche, elle s'était octroyé une année sabbatique pour perfectionner son anglais et réfléchir à la carrière qu'elle souhaitait embrasser. Elle l'avait rencontré dans une salle de sport, près du campus, où, comme elle, il pratiquait le karaté. Outre les cours de langue qu'ils suivaient en commun à l'université, le jeune homme se passionnait pour la psy-chologie. Depuis que Florence avait regagné la France, ils avaient rompu tout contact. Mais voilà que le hasard les remettait en présence.

Le soir même, ils avaient pris un verre ensemble. À la première bière, Garrigue avait résumé à Florence les épisodes qui lui manquaient : les deux ans de petits boulots au pays de l'oncle Sam, puis le retour à Grenoble, les études de psycho finalement abandonnées, l'entrée dans la police. À la seconde, il avait confessé son divorce et sa décision de recommencer sa vie à Paris...

– Je t'aiderai, Michel. Tu peux compter sur moi.

– Merci patron, tu es un chic type ! avait-il répondu.

Deux coups retentirent à la porte.

– Oui !

Son adjoint pénétra dans la chambre.

– Alors ? C'est la grippe ?

– Sans l'ombre d'un doute, soupira-t-elle. Et toi ? Un crime ?

– Indiscutablement.

Il lui exposa l'affaire de façon précise et méthodique.

– Le corps a été identifié ? demanda-t-elle.

– Pas encore. (Il secoua la tête.) Ça ne va pas être facile : la fille n'avait aucun papier sur elle. Et sur place, je n'ai trouvé ni sac ni blouson susceptibles de lui appartenir. Quant aux employés, il est encore trop tôt pour les interroger. Le magasin n'ouvre qu'à dix heures.

– Le directeur de *L'Entrepôt* est prévenu ?

– Oui. Mestier lui a téléphoné. À l'heure qu'il est, ils doivent être tous les deux sur les lieux.

– Qu'en pense le légiste ?

– Mort par rupture des cervicales... Pour l'instant, Antoine ne peut en dire plus. Il a remarqué de nombreuses traces de piqûres sur les bras de la victime.

– Une toxicomane ? murmura-t-elle en fronçant les sourcils.

– Probablement. Ah ! Il y avait aussi un objet... Posé juste à côté du corps. Je t'ai apporté des photos.

Il sortit de sa poche une enveloppe brune. Florence l'ouvrit et se redressa pour mieux détailler les clichés.

– Qu'est-ce que c'est ? On dirait une boule de cristal.

– En quelque sorte. Remplie de liquide

bleuté et de paillettes. Comme ces sphères dans lesquelles il neige quand on les secoue. Je l'ai envoyée au labo pour la faire analyser. On en saura plus dans la journée.

– OK ! soupira-t-elle en se laissant aller contre les oreillers. On a les coordonnées des principaux témoins ?

– Oui.

– Alors, convoque-les pour seize heures. Je viendrai.

– Dans l'état où tu es ? s'étonna-t-il. Je peux très bien m'en occuper et te tenir informée.

Elle fit comme si elle n'avait rien entendu.

– À tout à l'heure, Michel. Et merci de t'être déplacé.

Il n'y avait pas à insister. Il quitta la pièce. Florence entendit des bruits de voix dans le couloir, puis le claquement de la porte d'entrée. Trois minutes plus tard, Jean pénétrait dans la chambre.

– Un boulot de dingue ! Tu fais un boulot de dingue ! Le médecin te donne un arrêt maladie, et tu travailles à la maison ! Tu veux jouer les héroïnes ou quoi ?

– S'il te plaît, Jean, calme-toi ! Dans la police, on ne connaît ni les grippes ni les coups de pompe... Je dois m'occuper de cette enquête.

Exaspéré, son mari leva les bras au ciel.

– Et Noël ? Tu oublies Noël ? Si tu ne te soignes pas convenablement, tu seras obligée de passer le réveillon au fond de ton lit ! Quelle agréable perspective !

Elle se coula sous les couvertures et se tourna sur le côté. Laisser passer l'orage, s'ensabler comme les tortues...

– Mets le réveil à quinze heures, s'il te plaît. Je vais dormir un peu...

Quand elle le sut parti, elle ouvrit les yeux. Non, elle ne pouvait pas se permettre de flancher. Là-haut, les huiles l'attendaient au tournant. Une femme commissaire divisionnaire, ça en agaçait plus d'un. Surtout depuis qu'elle avait réglé avec succès une affaire d'attaque à main armée avec prise d'otages. L'événement lui avait valu les honneurs de la presse.

« Nous aimerions faire un reportage sur vous, lui avait confié la rédactrice d'un hebdomadaire. Vos consœurs sont extrêmement compétentes, mais si masculines ! »

Elle avait décliné l'offre en souriant. Grande, brune, très mince, elle avait, à trente-six ans, conservé une silhouette de jeune fille grâce à la pratique régulière des arts martiaux et de la natation. Ses cheveux coupés court, souvent coiffés à la diable, lui donnaient l'air d'une étudiante fragile... Pourtant, elle savait ce qu'elle voulait. Ne reculant ni devant le danger ni devant les responsabilités, elle avait de haute lutte réussi à s'imposer. Mais il fallait rester...

Une quinte de toux l'étrangla à moitié. « Pour l'instant, se dit-elle en avalant deux comprimés contre la fièvre, j'ai la grippe. Et féminine ou non, je ne vaux pas mieux qu'une vieille serpillière. »

LA PRÉDICTION D'OUMAR

Autour d'elle, les écureuils dansaient une ronde infernale. Isabelle aurait bien voulu s'échapper de la vitrine, mais ses membres étaient reliés au plafond par des fils invisibles. Qui donc l'avait transformée en marionnette ? Un lutin s'approcha, brandissant un tube de rouge à lèvres dont il lui barbouilla le visage. En face, sur le trottoir, des badauds attroupés riaient et la montraient du doigt. Soudain, un grand homme noir fendit la foule et, de toutes ses forces, lança contre la paroi de verre un énorme pavé. Le bruit, assourdissant, lui transperça les oreilles. Horrifiée, elle le vit ramasser une autre pierre.

– Isabelle ! Isabelle ! Mais ouvre donc !

La jeune fille se dressa brusquement sur son lit, haletante. Le cauchemar s'évanouit comme un château de sable, mais la sensation de malaise demeurait. Enfin, elle comprit que l'on tapait à sa porte. Elle alla ouvrir.

Dans l'étroit couloir du sixième étage se tenait Marie-Joëlle Lacroix, une femme rousse d'une quarantaine d'années, visiblement très inquiète.

– Enfin ! Je commençais à me faire du souci ! Tu n'es pas malade au moins ?

– Non, non, bafouilla la jeune fille en passant une main dans ses cheveux emmêlés. J'ai simplement eu du mal à m'endormir hier...

Elle n'avait aucune envie de se lancer dans des explications. La femme lui adressa un regard réprobateur et consulta sa montre-bracelet.

– La corbeille de linge à repasser est dans la cuisine. N'oublie pas, surtout ! Bon, je file avec les enfants. Il y a déjà des embouteillages monstres dans le quartier. À ce soir !

Le tailleur gris de Marie-Joëlle Lacroix s'engouffra dans l'ascenseur.

Isabelle referma la porte et se recoucha. La soirée de la veille lui revenait par bribes à travers les brumes mal dissipées de son cauchemar. Alertée par ses cris, une femme avait appelé la police. Elle se rappelait les sirènes, les gyrophares, les barrières de sécurité installées en hâte devant le magasin. Après l'avoir succinctement interrogée, un agent avait pris ses coordonnées et l'avait raccompagnée jusqu'à son immeuble.

Le souvenir du corps étendu dans la vitrine planait, obsédant, incongru, sur la chambre au décor apaisant. La pièce était petite, mais arrangée avec goût : des rideaux écrus à grosses fleurs rouges, assortis au couvre-lit, tamisaient la lumière du jour. Un paravent dissimulait le coin toilette et un réchaud à gaz. Une planche posée sur deux tréteaux mangeait presque tout l'espace ; c'était là qu'Isabelle avait installé sa machine à coudre et son coffret de bobines de fil, soigneusement classées par couleur.

Elle composa le numéro de Rosa sur son téléphone portable. Là-bas, dans l'appartement de l'avenue de Laumière, la sonnerie retentit longuement dans le vide. Désemparée, elle feuilleta son carnet d'adresses et songea à appeler Gilles. Mais à la dernière seconde, elle renonça. À l'idée de lui confier son désarroi, elle se sentait paralysée par la timidité.

Brusquement, le visage d'Oumar s'imposa à elle.

Elle se leva et s'habilla. Oui, Oumar l'écouterait certainement.

Il était midi et demi. Isabelle acheta un sandwich au kebab à l'angle de la rue Poulet et de la rue Dejean. Des hommes discutaient sur le seuil des bazars, emmitouflés dans des bonnets et des parkas. L'Afrique en plein hiver. Elle avait fait la connaissance du marabout début octobre, un jour qu'elle se plaignait à Rosa de l'état de ses finances.

– Avec ce que me donnent mes parents chaque mois et ce que je gagne comme baby-sitter chez les amies de Mme Lacroix, je n'ai pas les moyens de profiter de Paris ! J'en ai marre !

– Je sais ce que c'est ! J'ai une combine pour augmenter mon argent de poche, lui avait murmuré son amie. Mais garde ça pour toi ! Mes parents ne sont pas au courant.

Le soir même, Rosa l'avait entraînée rue Myrha et l'avait présentée à un petit vieillard sec, taillé dans de l'ébène, dont les cheveux crépus ressemblaient à des flocons de neige.

– Ma copine apprend la couture, comme moi. Nous sommes dans la même classe. Elle est très douée, et très discrète. Vous pouvez lui faire confiance !

Le vieil homme avait transpercé Isabelle du regard, comme pour sonder son âme, et il avait fini par murmurer :

– Venez toutes les deux dimanche prochain : il y aura du travail.

C'est ainsi qu'elle avait découvert l'atelier de couture clandestin installé dans l'arrière-cour du 132 rue Myrha.

– Ne le dis à personne, surtout ! l'avait prévenue Rosa. Tant que ça ne mousse pas, la police ferme les yeux.

– Parce qu'elle est au courant ?

– Bien sûr ! Dans le quartier, tout le monde le sait. Mais pas question qu'on l'apprenne au bahut ! Le proviseur nous virerait du jour au lendemain ! Sans parler de nos parents !

Le secret avait été bien gardé. Quand les commandes de vêtements pressaient trop, elles venaient donner un coup de main et en profitaient pour discuter avec Oumar.

Isabelle pénétra sous le porche du 132, un immeuble délabré dont la plupart des fenêtres étaient murées. Pourtant, de nombreuses familles s'y entassaient. Une volée d'enfants se précipita sur elle en poussant de grands cris aigus et, après avoir reçu sa part de bisous, s'égailla dans la cour.

La jeune fille s'engagea dans l'escalier où se mêlaient des odeurs de chou bouilli et de friture. Une radio déversait à tue-tête de la musique africaine. Arrivée au troisième étage, elle s'immobilisa devant un chambranle dépourvu de porte.

Son bébé blotti contre son dos, une femme en boubou préparait le repas, tandis que trois hommes jouaient aux cartes.

– Oumar n'est pas là ?

La femme la dévisagea sans répondre. Un des hommes lui fit signe d'entrer. Intimidée, elle traversa la pièce et pénétra dans une chambre minuscule. Assis en tailleur sur un vieux matelas, Oumar lisait le journal.

– Ah ! C'est toi ? dit-il en levant les yeux. Je n'ai pas de travail à t'offrir en ce moment. Même pas de petits papiers à distribuer pour ma publicité ! (Sa bouche se plissa.) Les affaires ne marchent pas bien. Tu vois, je fais le tiercé pour gagner des sous !

– Je ne viens pas pour ça, protesta-t-elle en s'agenouillant près de lui.

– Alors pourquoi ? Tu veux un philtre d'amour ?

– Non... (Rougissante, elle chercha ses mots.) Il m'arrive quelque chose de terrible, que je ne peux pas garder pour moi.

Oumar montra ses dents blanches.

– Ah ! Je ne pratique pas la médecine des Blancs moi, je ne gagne pas des sous à écouter les gens parler... Enfin, va toujours, ordonna-t-il en se calant contre le mur.

Quand elle eut achevé son récit, le marabout fit claquer sa langue.

– Je vois ! Son image a pris possession de ton esprit. Quand tu penses à elle, c'est toi que tu vois. Peut-être parce que tu lui ressembles...

La jeune fille sursauta.

– Comment le savez-vous ? Vous... Vous pouvez vraiment...

Oumar partit d'un grand éclat de rire.

– Je lis dans l'avenir, pas dans le passé ! La radio fait ça mieux que moi ! Ils ont parlé ce matin de ton histoire... Une fille brune, comme toi... Allez, donne-moi ta main !

Il se mit à psalmodier, les yeux mi-clos. Isabelle réprima un rire nerveux. Elle respectait le vieillard, même si elle ne croyait guère en ses pouvoirs.

– Je vais te donner quelque chose pour éloigner le mal, déclara-t-il en relevant brusquement les paupières.

– Le mal ?

– Oui. (Les ailes de son nez frémirent.) La méchanceté rôde autour de toi. Voilà pourquoi tu ne te sens pas bien.

– Comment ça ?

Oumar dodelina de la tête.

– Un homme entre dans ta vie. Un homme qui cherche à te nuire.

Elle fronça les sourcils. Parlait-il d'Emmanuel, le fils des voisins ? Quand elle lui

35

avait expliqué, l'été précédent, avec le plus de précautions possible, que mieux valait mettre un terme à leur relation, il était entré dans une colère terrible. Il avait tout fait pour la dissuader de s'installer à Paris, prétextant que ce n'était pas une ville pour elle, qu'elle serait plus heureuse à Coulommiers, avec lui. Il avait dû espérer que leur histoire déboucherait sur un mariage.

Le vieil homme s'approcha d'elle et lui tendit un petit sachet de toile suspendu à un lacet de cuir.

– Accroche-le autour de ton cou et ne t'en sépare pas. Cette amulette te protégera. Pour me payer, tu viendras coudre quand les affaires auront repris.

– D'accord, répondit-elle, incrédule.

– Va. Et fais attention !

Dès qu'elle fut partie, le vieillard frappa dans ses mains. Aussitôt, la femme en boubou apparut. Il lui donna des ordres d'une voix brève, puis se mit à chantonner en se balançant de droite et de gauche.

– Qu'est-ce qui se passe ? demanda un des trois hommes en la voyant allumer de l'encens.

– Il chasse les mauvais esprits. Cette fille... Il dit que le mal a étendu sa main sur elle.

UNE RÉPÉTITION ÉCOURTÉE

Sous l'œil attentif de Marcel Dupré, un homme d'une soixantaine d'années, aux cheveux blancs coupés en brosse, au teint mat, au visage émacié, Manu, Rosa et Gilles s'entraînaient à manier les fils de marionnettes en bois, vêtues de costumes chatoyants.

– Mais non, grand-père Tatefouille, je n'ai pas mangé ta peau d'andouille ! protestait un pélican en sautillant sur ses courtes pattes.

– Gros Jabot, c'est toi que je vais manger si tu n'avoues pas ! tonna un épouvantail aux bras démesurés.

– Je n'ai rien pris, je t'assure, grand-père Tatefouille. C'est Petit Bêta qui s'en est léché les doigts. Demande à grand-mère Hydromel ! pleurnicha le curieux volatile, en claquant du bec.

Debout au milieu de l'atelier, Marcel Dupré secoua la tête, amusé.

– Cinq minutes de pause ! proclama-t-il.

Rosa posa précautionneusement la marionnette de grand-mère Hydromel et soupira :

– Isa a trois quarts d'heure de retard ! Je me demande ce qu'elle fabrique !

Depuis un mois, la bande se rendait une fois par semaine chez Marcel Dupré, rue de la Grange-aux-Belles, afin de s'initier sous sa conduite au maniement des marionnettes à fils. À l'issue de son BEP de menuiserie, Gilles avait fait sa connaissance grâce à un de ses professeurs du lycée. Fasciné par la qualité de ses réalisations, il l'avait convaincu de lui enseigner son art. Au contact des marionnettes, l'idée de monter un spectacle pour les enfants des écoles primaires avait germé dans l'esprit du jeune homme. Marcel Dupré avait accepté de les aider.

Son appartement, dont la pièce principale était aménagée en atelier, occupait le rez-de-chaussée d'un immeuble ancien et donnait sur une cour intérieure calme et fleurie. Une odeur agréable de sciure et de colle à bois imprégnait la vaste pièce, carrelée de tomettes. Une gigantesque statue d'ange, au visage joufflu et rieur, suspendue au-dessus d'un antique buffet, étalait ses ailes couleur bronze juste en face de la porte d'entrée. Placé devant la fenêtre, un long établi de chêne était encombré de pots de verni et de peinture. Des scies, des rabots, des couteaux à bois s'alignaient sur des étagères. Une vingtaine de marionnettes à fils, de tailles différentes, étaient accrochées à un portant métallique.

Gilles posa délicatement grand-père Tatefouille sur un siège.

– Alors, monsieur Dupré ? Vos impressions ? Ça allait ?

– Vous avez fait des progrès ! Surtout, toi, Rosa. Mais vous, les garçons, vous tendez encore trop les fils ! Cela donne de la raideur aux déplacements. On dirait que Gros Jabot participe à un défilé militaire ! dit-il en se tournant vers Manu. Les fils, on doit absolument les oublier. Comme si les marionnettes devenaient vivantes. Tout le secret de la réussite est là. Regardez Mlle Zaza !

Il décrocha du portant une danseuse dont le corps gracile émergeait d'un tutu rose et la fit évoluer devant eux. Ses bras s'arrondirent au-dessus de sa tête, et elle les salua avec une grâce infinie.

Émerveillée, Rosa battit des mains.

La petite ballerine s'inclina à nouveau et fit la révérence.

– On n'y arrivera jamais ! soupira son frère. Ou alors, dans trente ans !

Dupré rangea Mlle Zaza avec soin.

– C'est à peu près le temps qu'il m'a fallu... Et au bout de quarante ans de manipulation, j'ai encore à apprendre !

– Génial ! Vous nous remontez vachement le moral, bougonna Manu.

– On n'a rien sans rien, répliqua Marcel Dupré d'un ton sec. Il faut s'entraîner sans relâche, s'astreindre à une discipline de fer. À commencer par la ponctualité !

– Isabelle a sûrement eu un empêchement ! plaida Rosa.

– Oh ! Je ne pensais pas seulement à elle. Toi par exemple, reprit-il en se tournant vers Gilles, tu n'es pas venu hier soir ! Tu devais bien passer pourtant ? Tu voulais que je t'aide pour les panneaux du décor...

Le jeune homme se mordit les lèvres.

– Désolé ! Je suis rentré tard de mon boulot, et j'étais crevé.

– Mouais... Tu aurais tout de même pu téléphoner !

– Mais c'est ce que j'ai fait ! se défendit Gilles. Ça ne répondait pas !

– Je n'allais pas rester là à t'attendre

indéfiniment… Je suis sorti faire un tour ! Les vieux comme moi ont besoin de marcher, sinon ils rouillent !

– Vous n'êtes pas vieux du tout ! protesta Manu. Vous avez encore des tas de belles choses à réaliser !

Dupré leva les yeux au ciel.

– Ah ! Les illusions de la jeunesse ! Des choses à réaliser ? Pour qui ? Le métier est fini ! Je suis un dinosaure ! C'est l'ère du plastique, du synthétique ! Tu vois cet ange ? dit-il en désignant la statue. Mon ange gardien, comme je l'appelle ! Il m'a servi de modèle pour la réalisation de dix créatures semblables, dix marionnettes de bois aux ailes articulées. Un metteur en scène italien les voulait à tout prix pour un spectacle à Milan. Des mois de travail ! De nos jours, cela serait inconcevable ! Vite fait, pas cher, voilà les refrains d'aujourd'hui, et dans tous les domaines ! Les gens ne s'attachent plus aux objets. Ils en changent, ils les jettent. Il n'y a qu'à voir ce magasin qui s'est installé sur la place de la République ! Depuis trois ans qu'il est ouvert, les clients ne cessent de s'y engouffrer comme des moutons.

– *L'Entrepôt* ? C'est bien là que votre fils travaille, non ? demanda Rosa.

– Malheureusement oui ! À quinze ans, il souhaitait prendre ma suite. Mais il a changé d'avis ! On gagne plus d'argent dans le commerce, commenta-t-il, sarcastique, même si on y perd son âme...

Sa bouche forma un pli amer.

– Tout de même, vous devez être fier de lui ! Directeur du service marketing, c'est une bonne place ! s'étonna Manu.

– Une bonne place ! (Il ricana.) Dans un endroit où l'on tue des gens ? Vous avez entendu les informations ce matin ?

– Oui, déclara Gilles, en hochant gravement la tête. C'est franchement sordide. Je me demande...

Soudain, il s'interrompit. Isabelle, les joues rougies par le froid, venait d'ouvrir la porte.

– Tiens ! Voilà la retardataire, grogna Dupré en la foudroyant du regard.

– Isa ! Mais où tu étais passée ? s'exclama Rosa en se précipitant pour l'embrasser.

La jeune fille laissa tomber son sac sans répondre. Gilles la dévisagea en fronçant les sourcils.

– Dis donc, ça n'a pas l'air d'aller très fort...

Elle ébaucha un pâle sourire.

– Non, pas trop !

Elle se tourna vers Manu.

– Tu sais, j'aurais dû accepter ta proposition hier soir. Il aurait mieux valu que vous me déposiez en bas de chez moi...

– Explique-toi ! s'inquiéta Rosa.

– Vous êtes au courant de ce qui s'est passé à *L'Entrepôt* cette nuit ?

– Nous étions justement en train d'en discuter, déclara Dupré. Pourquoi ?

Elle respira à fond et rejeta ses cheveux en arrière.

– C'est moi qui ai remarqué la fille dans la vitrine.

– Merde alors ! lâcha Manu, les yeux ronds.

Pressée de questions, elle leur raconta en détail ce qui s'était passé.

– Ce crime est une abomination ! fulminait Marcel Dupré en secouant la tête.

– Mais il fallait nous téléphoner ! Manu serait venu te chercher. Tu aurais dormi à la maison !

Isabelle haussa les épaules.

– Je n'allais pas réveiller toute votre famille en plein milieu de la nuit ! Par contre, j'ai appelé chez vous ce matin : il n'y avait personne ! Bon, je ne fais que passer. Le commissariat m'a contactée. Il faut que j'aille faire une déposition.

Manu s'approcha.

– Je t'accompagne. Mon père m'a laissé la camionnette.

– Non, merci... (Elle secoua la tête.) Inutile de perturber davantage votre séance. Vous avez encore beaucoup de choses à voir. Désolée pour le costume de Petit Bêta ! Je n'aurai pas le temps de m'en occuper ce soir ! Mais je peux prendre les mesures...

Rosa l'embrassa.

– Ne t'inquiète pas. Je le ferai pour toi. On pensait se retrouver demain au lycée, vers deux heures, pour une répète générale. Tu seras libre ?

– Entendu ! Les gentils monstres Lacroix vont au cirque avec leur grand-mère.

– Téléphone ce soir, pour donner des nouvelles. OK ?

Isabelle fit un petit signe de la main et se dirigea vers la porte.

– N'oublie pas ! Tu nous appelles ce soir ! lança Manu.

– Promis !

Dehors, le ciel s'était obscurci. Des flocons de neige tournoyaient dans l'air.

– Sale temps ! À quelle heure tu es convoquée exactement ?

Elle se retourna, le cœur affolé. Gilles l'avait rejointe dans la cour. Il alluma une cigarette en plongeant ses yeux dans les siens.

– Quatre heures. (Elle fit une petite grimace.) J'espère que ça ne durera pas trop longtemps... Et toi, tu vas à *L'Entrepôt* ce soir ?

– Oui ! Je travaille de dix-huit à vingt-deux heures. Les nocturnes... Le magasin va être sens dessus dessous avec cette affaire !

Il réprima un léger tremblement.

– Bon, tu devrais y aller si tu ne veux pas être en retard, ajouta-t-il en écrasant sa cigarette par terre.

Il s'approcha d'elle, comme pour l'embrasser, mais il se contenta de lui serrer affectueusement le bras. Puis il regagna précipitamment l'atelier de Marcel Dupré.

Isabelle se dirigea d'un pas vif vers le métro. Elle se rendait au commissariat pour évoquer une découverte atroce, et pourtant elle était heureuse. Pour la première fois, la voix chaude de Gilles s'était adressée à elle, rien qu'à elle.

TÉMOIGNAGE

Garrigue contemplait Isabelle. Le dos bien droit, le visage tendu, elle jouait avec les anses d'un sac de raphia posé sur ses genoux. Ses longs cheveux tombaient sur ses épaules en un épais voile noir. Elle n'avait pas voulu quitter son manteau, malgré la chaleur qui régnait dans le bureau.

Il relut rapidement le dossier qu'on lui avait remis en lissant ses moustaches : c'était donc elle qui avait remarqué la présence du cadavre dans la vitrine...

– Le commissaire ne devrait pas tarder... En attendant, précisons quelques points. Cette madame Lacroix chez qui vous logez est un membre de votre famille ? demanda-t-il sur un ton affable.

La jeune fille posa sur lui ses yeux verts.

– Non. Elle possède une maison de campagne près de chez nous. Cet été, elle cherchait quelqu'un pour s'occuper de ses enfants à la rentrée et faire un peu de ménage. Sa jeune fille au pair l'avait lâchée. Je lui ai proposé mes services en échange d'une chambre de bonne. Elle a tout de suite accepté. Elle s'est même chargée de convaincre mes parents.

– Vous êtes courageuse ! Les jeunes qui se décarcassent pour payer leurs études sont plutôt rares, de nos jours.

Elle sourit. Était-ce du courage que de fuir à toutes jambes une existence terne et morne à Coulommiers ? Elle repensa à l'exploitation familiale, à ses sœurs, toutes mariées à des agriculteurs, à Emmanuel, qui rêvait de la garder près de lui. Ce policier ne pouvait pas deviner qu'il était vital pour elle d'échapper à la tribu !

– Vos parents n'ont pas peur de vous laisser vivre seule ? Vous n'avez que seize ans !

Elle répliqua froidement :

– Ils n'ont pas le choix. Ils sont agriculteurs du côté de Coulommiers et, là-bas, le lycée technique ne prépare plus à ce que je veux faire. Ils ont fermé la section.

À ce moment, Florence Davant, emmitouflée dans un anorak, une grosse écharpe autour du cou, entra. À Garrigue qui se levait, elle fit signe de se rasseoir.

– Je vois que vous avez commencé, dit-

elle d'une voix enrouée. Bonjour mademoiselle. Je suis le commissaire Davant, chargée de l'enquête.

Elle remarqua avec amusement l'expression d'incrédulité qui passait dans les yeux
de l'adolescente. S'étonnait-elle de voir une
femme commissaire ou un commissaire à
ce point grippé et mal fichu ? Les deux,
peut-être.

Elle s'installa près de Garrigue. Ce
dernier lui tendit le dossier en expliquant :

– Mlle Méret a découvert la victime.

Elle jeta un regard rapide à la jeune fille
avant de s'absorber dans l'examen des
documents.

– Nous en étions à vos études, reprit le
policier. Quelle branche ?

– Couture. Je voudrais devenir styliste,
précisa-t-elle. Ou costumière. Enfin, pour
l'instant, je suis en première année de BEP.
Je fais des rideaux plutôt que des robes
longues !

– Racontez-nous ce qui s'est passé hier
soir, intervint Florence Davant. Que faisiez
dehors, si tard et par ce froid ?

Elle avait reposé le dossier et la dévisageait.

La voix empreinte de lassitude, Isabelle
expliqua :

– Je venais de raccompagner des amis à

leur voiture et je rentrais chez moi à pied. En passant devant *L'Entrepôt*, je me suis approchée des vitrines...

Le commissaire sortit un tube de comprimés de sa poche et l'encouragea du regard à poursuivre.

– Je regardais... C'était joli, cette Belle au bois dormant allongée sur son lit de princesse. Et puis, j'ai remarqué ses ongles...

– Qu'avaient-ils de particulier ?

Isabelle croisa nerveusement les jambes.

– Ils étaient peints en noir...

– Et alors ? Ça vous a rappelé quelque chose ?

– Non, non, balbutia l'adolescente. Mais ça ne pouvait pas être ceux d'un mannequin !

– Vous aviez déjà vu la victime auparavant ?

La question, brutale, la prit de court. Elle hésita avant de répondre :

– Non. Jamais. Je ne sais pas qui c'est.

Garrigue lui tendit une photo :

– Sabine Vinel. Domiciliée au 148 rue La Fayette. Vous êtes sûre de ne pas la connaître ?

Sur l'agrandissement, on aurait juré que la fille dormait.

– Certaine, laissa-t-elle tomber en détournant les yeux.

Florence reprit d'une voix ferme :

– Mademoiselle Méret, peu de temps avant sa mort, la victime a été interceptée par les vigiles du magasin, qui la soupçonnaient d'avoir dérobé plusieurs articles de bijouterie. Et ce n'était pas la première fois...

Elle marqua une pause.

– Ils n'ont rien trouvé sur elle. Peut-être a-t-elle pu se débarrasser des marchandises ? Néanmoins, ils ont mentionné l'incident sur leur registre. Nous y avons trouvé votre nom. Exactement une ligne au-dessus de Sabine Vinel...

Mal à l'aise, Isabelle s'agita sur sa chaise. Les yeux fixés sur ses bottes, elle murmura :

– J'avais juste pris un tube de rouge à lèvres. Comme ça, pour voir. Je ne voulais pas vraiment le voler...

Elle releva la tête, les yeux emplis de crainte.

– Je leur ai rendu ! Vous allez prévenir mes parents ?

La jeune femme secoua la tête et eut un geste apaisant.

– Mais non ! Là n'est pas la question. Nous voulons savoir si vous avez vu Sabine dans le bureau des vigiles, si vous lui avez parlé.

Isabelle se détendit brusquement.

– Non... Je l'ai juste croisée au rez-de-chaussée. J'allais sortir, et un des vigiles l'emmenait. Je... J'ai échangé un regard avec elle. Franchement, je la plaignais. Ces types sont affreux...

– Quelle heure était-il ?

– Six heures et demie. J'ai regardé ma montre, car j'avais peur d'être en retard. Je devais retrouver des amis pour répéter un spectacle.

D'une voix pressante, Garrigue lança :

– Et vous n'avez rien remarqué de spécial à ce moment-là ?

Elle avança les lèvres dans une moue perplexe.

– Non, rien du tout. Je peux partir maintenant ?

Florence Davant la retint :

– Encore une chose, mademoiselle Méret. Nous disposons de l'enregistrement des caméras de surveillance. Regardez bien. Peut-être reconnaîtrez-vous quelqu'un.

Garrigue glissa une cassette dans le magnétoscope et appuya sur la touche lecture.

Les images défilèrent. Sans le son, l'effervescence qui régnait dans le magasin devenait presque cocasse : les vendeuses, les clients qui s'agitaient en tous sens, prenaient des allures de pantins ridicules. Vêtus d'un uniforme rouge avec *L'Entrepôt* écrit en noir dans le dos, les étudiants engagés pour la période des fêtes sillonnaient le magasin comme de petits soldats mécaniques, renseignant des clients ou transportant des paquets.

Soudain, elle ressentit un pincement au cœur. Elle venait de reconnaître les cheveux noirs et la veste de cuir cloutée d'argent. Sabine vivait ses dernières heures sans le savoir. Debout face au kiosque à bijoux, tournant le dos à la caméra, elle plongeait le bras dans un bac rempli de bracelets fantaisie. Isabelle eut envie de pleurer.

— C'est elle, balbutia-t-elle.

— Rien d'autre ? Aucun détail ne vous frappe ? insista doucement Florence Davant.

— Non...

— Regardez encore une fois...

Isabelle se força à observer l'écran. Mais ses yeux embués de larmes ne distinguaient plus rien.

— Non, vraiment...

— Tant pis ! soupira Garrigue en éteignant le téléviseur.

Le commissaire se leva pour la raccompagner.

– Merci, mademoiselle. Si un détail vous revenait à l'esprit, n'hésitez pas à nous contacter.

– Ça n'a pas dû être facile pour elle de voir ces images, déclara Garrigue dès que la porte se fut refermée. Alors ? Qu'est-ce que tu en penses ?

– L'assassin était sûrement là, dans la foule... Il guettait sa victime, murmura la jeune femme en prenant sa tête fiévreuse à deux mains. Il a dû agir juste après sa sortie du bureau des vigiles... D'après le rapport d'Antoine, la mort est intervenue quatre à cinq heures avant la découverte du corps. Soit vers dix-neuf heures, dix neuf heures trente. Mais comment a-t-il procédé ? Il ne lui a tout de même pas brisé le cou au milieu des clients ! S'il l'a attirée dans un endroit reculé, il lui a fallu gagner sa confiance !

Son subordonné se caressait le menton.

– Je retourne à *L'Entrepôt* tout à l'heure, histoire de comprendre comment il s'y est pris pour mettre le corps à la place du mannequin. J'ai rendez-vous sur place avec Madinel, le type qui a conçu l'installation des vitrines. Elles n'ont pas de secrets pour lui.

– Et la famille de Sabine Vinel ? Tu l'as contactée ?

– Oui. Dès qu'on a pu identifier le corps... La jeune fille était déjà fichée chez nous, pour des histoires de vols à la tire... Les parents sont anéantis. Ces derniers temps, leur fille ne venait plus chez eux. Ils savaient qu'elle se droguait et qu'elle volait, mais de là à être assassinée... La mère nous a donné une liste des gens que Sabine fréquentait. Forcément incomplète ! Je doute qu'elle lui ait présenté les dealers qu'elle côtoyait...

Une quinte de toux secoua Florence.

– Tu penses que sa mort a un rapport avec la drogue ?

Il hocha la tête pensivement.

– Possible. Elle devait être aux abois, sans argent... Celui qui l'a supprimée a probablement voulu donner un avertisse-ment aux mauvais payeurs, en comptant sur la publicité qui entourerait le crime...

Elle soupira :

– Je peux toujours mettre les gars du neuvième arrondissement sur le coup. Après tout, les trafiquants ne manquent pas du côté de la rue La Fayette... Et la boule bleue ? demanda-t-elle en prenant le cliché de l'objet dans le dossier. Les résultats du labo sont arrivés ?

– Oui. Aucune empreinte digitale. Tu sais, je me disais... Cette chose a peut-être une valeur symbolique. (Il contempla l'agrandissement.) Des paillettes dans l'eau bleue, des étoiles dans le ciel... Une référence à l'illusion de bien-être procurée par la drogue... C'est ce qui me fait penser à un règlement de compte entre toxicomanes.

Florence lui jeta un long regard.

– Je doute que le cerveau d'un dealer soit aussi retors. Et quand bien même, il aurait été beaucoup plus facile de la tuer dans un endroit plus discret ! En tout cas, reprit-elle, soucieuse, une fois son crime commis, l'assassin appose sa signature et exhibe son œuvre à la foule. Ça ne me dit rien qui vaille.

UN ESPOIR À L'EAU

« Sabine, Sabine Vinel... »

Le nom de la victime trottait sans relâche dans l'esprit d'Isabelle tandis qu'elle se dirigeait, bouleversée, vers la sortie. Une fille à peine plus âgée qu'elle. Toutes les deux avaient de longs cheveux noirs. Toutes les deux avaient été repérées par les vigiles du magasin...

Le froid la gifla. « Je délire complètement ! se dit-elle en serrant frileusement son manteau contre sa poitrine. Je n'ai rien à voir avec Sabine Vinel... »

Indécise, elle resta un moment sur le trottoir. Elle s'apprêtait à traverser la rue, quand des pas résonnèrent dans son dos. Quelqu'un l'attrapa par le bras.

– Gilles !

Sous l'effet de la surprise et de la joie, elle avait presque crié.

– Je t'ai fait peur ? s'étonna-t-il en remarquant son visage décomposé.

– Un peu... Je ne m'attendais pas à te voir. Qu'est-ce que tu fais là ? Et ton travail ?

Embarrassé, il éluda :

– Je m'arrangerai...

Paralysée par l'émotion, elle ne savait plus quoi dire. Le jeune homme alluma une cigarette.

– Alors, comment ça s'est passé ?

Nerveusement, il tira deux bouffées coup sur coup.

– Je me faisais un peu de souci pour toi... finit-il par ajouter.

La phrase rebondit plusieurs fois dans le cœur d'Isabelle : « un peu de souci pour toi... pour toi... toi. »

– Le commissaire m'a interrogée. Une femme, précisa-t-elle. La victime s'appelait Sabine Vinel. Ils n'ont pas l'air d'en savoir plus.

– Qu'est-ce qu'ils t'ont posé, comme questions ?

Elle se mordit les lèvres... Elle ne voulait surtout pas lui avouer qu'elle avait été surprise en train de voler au magasin. Elle frémit : pourvu qu'il ne l'apprenne jamais !

– Oh... bredouilla-t-elle. Pourquoi j'étais là, ce que j'avais vu exactement. La routine, je suppose.

Gilles acquiesçait en silence.

– Manu se fait de la bile pour toi, finit-il

par dire. Il n'a pas cessé de parler de cette histoire chez Dupré, après ton départ. Tu vas l'appeler ?

– Pourquoi ?

– Tu lui as promis...

Oui, elle se souvenait. Elle devait passer un coup de fil à Rosa.

Le jeune homme l'observait, une expression amère sur le visage.

– Il a l'air de bien t'aimer... Un chouette type. Brillant. Il le décrochera sûrement, son BTS d'électronique !

– Je l'espère, rétorqua-t-elle, désarçonnée. Comme toi ton bac pro.

– On verra, ricana-t-il. Le bahut et moi, ça fait deux... Je ne suis pas comme lui, je n'ai pas fait un parcours sans faute !

Les yeux noisette se troublèrent. Isabelle se hâta de reprendre :

– Manu affirme que tu es doué.

– Ah oui ? Dans quel domaine ?

Le ton, subitement agressif, la fit reculer d'un pas.

– Mais... Pour les marionnettes ! répondit-elle, désemparée.

– Et qu'est-ce qu'il dit d'autre, ce cher Manu ?

– Mais rien... rien du tout, bredouilla-t-elle.

Gilles la toisait, narquois.

– Vraiment ? Il ne t'a pas parlé de mes problèmes ?

Troublée, elle rougit.

– Non ! Pas vraiment...

– Il t'a dit que j'étais fêlé, c'est ça ?

– Pas du tout, il a seulement...

– ... Que je voyais un psy depuis trois ans ?

– Je ne savais pas, balbutia-t-elle.

– Peu importe, de toute façon. Mes petites histoires ne présentent aucun intérêt.

– Mais si ! Au contraire !

Il serra les dents :

– Je ne suis pas une bête curieuse ! Et je ne veux surtout pas de ta pitié ! Tu comprends ?

Il jeta sa cigarette et tourna les talons. Les larmes aux yeux, Isabelle suivit sa silhouette qui s'éloignait sans se retourner.

L'escalator du métro la déposa sur la place de la République. Tout autour d'elle tournaient lentement des voitures, phares allumés. Formant un cercle encore plus large, les façades des restaurants brillaient de guirlandes et de décorations. Et là, juste en face, les lettres rouges et jaunes de l'enseigne géante clignotaient dans la nuit : *L'Entrepôt.*

Isabelle détourna le regard et hâta le pas.

Une fois dans sa chambre, elle alluma le radiateur électrique, enleva son jean et se fourra sous la couette en grelottant. Son oreiller entre les bras, elle se pelotonna pour apaiser son chagrin. Pourquoi Gilles s'était-il montré si agressif ? Au moment où elle commençait à croire qu'elle comptait pour lui, il la poussait presque dans les bras de Manu. N'était-ce pas une façon de lui faire comprendre qu'il ne l'aimait pas ? Elle se sentait humiliée, désespérée... Plus jamais elle n'oserait le regarder en face...

Sous ses paupières closes, les souvenirs de la journée se brouillèrent.

Elle sombra bientôt dans le sommeil.

PAS DE NOËL POUR LE COMMISSAIRE

Garrigue remonta dans sa Laguna et respira un grand coup. Dans la lumière des gyrophares, les policiers s'affairaient. Son regard tomba sur l'horloge du tableau de bord : une heure du matin. Le moment était venu d'appeler.

Plusieurs sonneries retentirent. Il revit en pensée la chambre, sentit presque l'odeur des médicaments qui flottait. Le bruit, insistant, devait pénétrer désagréablement le cerveau des deux corps endormis. Enfin, on décrocha.

— Lieutenant de police Garrigue, déclarat-il, soudain très las. Puis-je parler au commissaire ? C'est très urgent !

Pendant les secondes qui suivirent, il contempla le spectacle qui s'offrait à lui : déployés autour du magasin, les hommes installaient un périmètre de sécurité. Déjà, des curieux s'attroupaient.

— Allô ? Florence ? Désolé de te réveiller.

On vient de trouver un autre cadavre à *L'Entrepôt*. Oui. Dans la vitrine du *Petit Poucet*.

Il passa une main sur son visage et poursuivit :

– Une jeune fille brune. Vingtaine d'années tout au plus. Même scénario. Le cou brisé. Non… Le corps était tassé dans la marmite de l'ogre. Des promeneurs nous ont prévenus. Ah ! J'oubliais. Il y avait une boule de cristal près d'elle.

– Les parents d'Aurélie Bardelle arriveront par le TGV de dix-sept heures.

Florence Davant, les traits tirés, les yeux cernés, raccrocha le téléphone.

– Pauvre gosse ! reprit-elle. Elle avait décidé de passer quelques jours de vacances à Paris. Sans doute pour faire ses achats de Noël. Les facturettes qu'on a retrouvées dans la poche de son jean indiquent qu'elle avait dépensé à peu près huit cents francs. Essentiellement en jouets et articles de parfumerie.

– Une jeune fille assez aisée. Rien à voir avec Sabine Vinel, conclut Garrigue, plongé dans un dossier.

Le commissaire renifla et croqua deux comprimés de vitamine C.

– D'une certaine façon, non. La première victime est une toxicomane paumée, la seconde une étudiante en sciences physiques à Lille. L'hypothèse du règlement de compte entre toxicomanes ne tient pas debout. D'autant que la mère d'Aurélie est quasiment certaine qu'elles ne se connaissaient pas. Pourtant, les points communs sont frappants ! Toutes les deux sont des jeunes filles brunes, d'une vingtaine d'années... Leur corps a été disposé dans des vitrines, avec une sphère bleue à côté...

– J'ignore si on peut lire l'avenir dans une boule de cristal, mais je me contenterais largement du passé, rétorqua Garrigue. Les employés de *L'Entrepôt* n'ont jamais vu ces objets. J'ai vérifié. Ce ne sont pas des articles vendus au magasin, ni dans les boutiques du coin... Quant à Madinel, il certifie qu'il ne les a pas utilisés pour ses vitrines. Ce deuxième crime l'a mis KO. Il jure ses grands dieux qu'aucun de ses agents de maintenance n'est allé à *L'Entrepôt* ces jours-ci... Il n'y comprend rien. En attendant, cette affaire lui fait une publicité désastreuse. Il se demande si la direction du magasin fera de nouveau appel à ses services l'année prochaine ! La décoration des vitrines de Noël rapporte beaucoup d'argent. Les concurrents se battent pour emporter les marchés parisiens. Et ce genre d'opération se décide pratiquement un an à l'avance. Ces deux meurtres ont peut-être été inspirés par la rivalité professionnelle...

Florence releva la tête.

– Il nous reste à passer au crible la liste des concurrents de Madinel. Et du côté des employés du magasin ? Qu'est-ce que ça donne ?

– Pas grand-chose pour l'instant. Le personnel est nombreux, sans compter les étudiants engagés à titre temporaire ; vérifier l'emploi du temps de tous ces gens prend un temps fou ! Et puis, que chercher au juste ? Nous n'avons guère d'indices ! Pas d'arme du crime, pas d'empreintes. J'ai visionné au moins trois fois les vidéos de télésurveillance. Je n'ai rien remarqué d'anormal ! Pourtant, il a bien fallu que cette ordure vienne faire sa sale besogne. Quand je pense que j'étais à *L'Entrepôt* hier en fin d'après-midi ! J'en suis malade ! J'aurais pu remarquer quelque chose...

Les paupières baissées, la jeune femme réfléchissait. Le corps d'Aurélie Bardelle avait été découvert par des passants à minuit, au moment où le couvercle de la gigantesque marmite se soulevait pour libérer des lutins prisonniers. Or le mécanisme, assez complexe, ne se déclenchait que toutes les heures, exactement à l'arrivée de la grande aiguille sur le douze. Le criminel connaissait donc parfaitement le système d'horlogerie qui réglait l'animation des vitrines. Il l'utilisait même, par provocation, pour qu'on découvre ses victimes. À quelle motivation obéissait-il ? Jusqu'où irait-il ? Au fond de son esprit, les contours flous d'un psychopathe commençaient à se dessiner.

Elle ouvrit brusquement les yeux.

– Michel ? Convoque encore une fois Madinel. Et je veux un dispositif maximal de surveillance au magasin. On campera dans les vitrines s'il le faut !

Il la contempla, l'air grave.

– Tu crois que...

– Ce type obéit à un rituel bien précis. Je ne vois pas pourquoi il s'arrêterait en si bon chemin. Surtout, on continue à être très discrets avec la presse. Pas question qu'il se délecte en lisant ses exploits dans le journal ! Tu avais des projets pour Noël ?

Il fit un geste désabusé.

– Depuis mon divorce, Noël, je préfère ne pas y penser. Pourquoi ?

– Parce qu'on réveillonnera probablement tous les deux. Ici ou là-bas...

Garrigue acquiesça :

– Aucun problème. Je ne viendrai pas les
mains vides.

GILLES NE RÉPOND PAS

Assis sur le bord de l'estrade qui occupait une partie du foyer, Manu et Rosa répétaient mollement leur texte. Derrière eux, une batterie et des amplis, recouverts de vieux draps blancs, attestaient de la vocation essentiellement musicale de l'endroit. Installée à une table, une marionnette sur les genoux, Isabelle cousait.

– Le costume de Petit Bêta est bientôt terminé, lança-t-elle en s'emparant d'une paire de ciseaux.

Manu sauta à terre.

– Tant mieux ! J'aimerais en dire autant du spectacle... Où est passé Gilles, bon sang ? Il devrait être là depuis une heure ! On a encore tellement de choses à régler !

La même question obsédait Isabelle.

– Et voilà le travail ! annonça-t-elle.

Elle leur présenta une gaze brodée de paillettes sur laquelle elle avait cousu une à une de petites perles multicolores.

– Dans deux minutes, notre papillon géant pourra déployer ses ailes ! Je n'ai plus qu'à tendre l'étoffe sur cette armature de fil de fer.

– Ouah ! s'extasia Rosa, qui l'avait rejointe. C'est magnifique !

– Ouais, super... maugréa Manu.

– Allez, arrête de faire ta mauvaise tête, frangin. Tu veux qu'on appelle Gilles ?

– Isabelle n'a qu'à le faire depuis son portable ! marmonna-t-il en jetant un regard noir à la jeune fille.

– Non, non, refusa celle-ci, gênée, fais-le, toi, j'ai encore une bricole à terminer.

– Comme tu voudras !

Il tapota sur les touches.

– Gilles ? Il est trois heures et demie. Tu étais censé nous rejoindre à deux heures au lycée. T'es vraiment chiant... Tu pourrais au moins prévenir. En tout cas, n'oublie pas d'aller chez Dupré ce soir, pour les décors. Salut. C'était son répondeur, expliqua-t-il en rendant l'appareil à Isabelle sans la regarder. Il est sûrement à *L'Entrepôt*.

– Il ne travaillait pas cet après-midi ! objecta sa sœur.

– J'en ai ras-le-bol de lui ! Quelqu'un veut un café ? Je vais au distributeur.

Elles déclinèrent l'offre. La porte claqua derrière Manu.

– Il devrait se contenter d'un jus de fruit, commenta Rosa. Il est suffisamment énervé !

– Il lui en veut à ce point ?

La jeune fille jeta un regard en coin à Isabelle.

– Il est surtout furieux que tu ne viennes pas t'installer à la maison. Je te le répète, nos parents sont d'accord pour t'héberger, dit-elle en mordant à pleines dents dans un croissant. Pourquoi tu n'acceptes pas ?

– Je ne vais pas m'incruster chez vous à quelques jours de Noël ! Surtout avec ta famille qui débarque d'Espagne... Et puis, j'aime trop mon indépendance !

– Ce serait plus prudent pourtant, avec ces deux crimes à cinq minutes à peine de chez toi ! Imagine que tu croises ce maniaque sur ton chemin ?

– Rassure-toi, je ne risque rien ! Le quartier grouille de policiers, et le magasin est placé sous surveillance !

Il y eut un bref instant de silence.

– Tu sais, Rosa, je ne veux pas que Manu se fasse des idées. J'ai de l'affection pour lui, mais c'est tout.

– Tu es amoureuse de Gilles, n'est-ce pas ?

Isabelle se mordit les lèvres. L'envie de pleurer n'allait tout de même pas la reprendre !

– Gilles ? (Elle eut un sourire désabusé.) Je ferais mieux de ne pas trop penser à lui. Il m'a attendue hier soir à la sortie du commissariat. Bêtement, j'ai cru qu'il venait pour moi. Et puis... Je ne sais pas ce qui lui a pris. Il s'est mis à me chanter les louanges de Manu, tout en se dévalorisant ! À croire qu'il a un complexe d'infériorité...

Un petit rire secoua son amie.

– Du Gilles tout craché ! Il est si peu sûr de lui qu'il se saborde. Je suis certaine qu'il s'intéresse à toi.

– Tu es sérieuse ?

– Bien sûr ! Manu s'est bien rendu compte, lui, que tu ne laissais pas Gilles indifférent ! Pourquoi penses-tu qu'il soit tellement en colère ?

Isabelle baissa les yeux, gênée.

– Tu l'as déjà vu avec une fille ? Je veux dire, une histoire sérieuse ?

– Non. S'il avait eu une histoire d'amour, il aurait peut-être fait moins de bêtises !

La jeune fille demanda, hésitante :

– Il m'a vaguement parlé d'un psy. Tu es au courant ?

Rosa secoua ses boucles châtains.

– Oui. Je sais vaguement qu'il est suivi. Il y a trois ans, il était dans un sale état... Il séchait les cours, ses résultats dégringo-laient... À la fin de la seconde, les profs l'ont réorienté. Il a été sérieusement perturbé par le fait que sa mère ne soit plus là, conclut-elle tristement.

– Elle est morte ? s'étonna Isabelle.

– Non. Elle est partie quand il était en troisième et elle n'a plus jamais donné signe de vie... C'était un 24 décembre... Alors, tous les ans à cette période, il pète les plombs. L'an dernier, il a fugué pendant dix jours. Personne ne savait où il était. (Rosa secoua la tête.) La période de Noël lui flanque le moral à zéro !

– Moi aussi, je déteste Noël, reconnut Isabelle.

– Formidable ! Gilles et toi, vous devriez réveillonner ensemble ! Vous êtes parfaitement assortis ! ironisa Manu, qui rentrait dans la salle.

Rosa lui prit le bras.

– Ce n'est pas drôle !

– Vous ne pouvez pas comprendre ! s'énerva Isabelle. Pour vous, Noël rime avec joie et cadeaux ! Moi, je m'ennuie à mourir pendant le long déjeuner de famille. Et ce sera pire cette année ! Mes sœurs vont me regarder comme une bête curieuse. Le fait que je fasse des études à Paris leur semble louche. À mon âge, elles savaient déjà qui elles allaient épouser ! Mes parents vont me surveiller d'un œil inquiet. Depuis que je leur ai annoncé que je souhaitais travailler un jour pour le théâtre ou le cinéma, ils ne vivent plus ! J'étouffe là-bas ! soupira-t-elle en caressant machinalement le tissu posé sur ses genoux. Je ne veux pas devenir comme mes sœurs ou comme ma mère, qui ne pensent qu'à leur maison, à leurs gosses !

– Excuse-moi, murmura le jeune homme, embarrassé.

– À propos de Noël, s'exclama Rosa en se tournant vers lui, on avait convenu de s'occuper des cadeaux ce soir ! Puisqu'on ne fait rien de bon ici, autant y aller maintenant ?

– OK !

– Isa, tu nous accompagnes ?

– Non. Je voudrais coudre l'ourlet du rideau rouge. J'en ai encore pour un quart d'heure. Partez sans moi. Je rendrai les clés au gardien !

Manu attendit que sa sœur se fût éloignée pour s'approcher d'Isabelle.

– Je... Je sais que je vais avoir l'air d'un entêté. Mais si tu voulais, tu pourrais passer Noël avec nous. Juste le 24 au soir, se hâta-t-il de préciser en la voyant esquisser un geste d'irritation. Tu te changerais les idées. Je ne supporte pas de te savoir toute seule, ajouta-t-il d'une voix sourde, dans ton cagibi, un soir de fête...

Elle posa sa main sur son épaule.

– Merci, Manu. Mais c'est non. Pardon si je te fais de la peine.

Il lui tourna brusquement le dos, vissa son bonnet sur sa tête et quitta la pièce sans rien ajouter.

La jeune fille se remit au travail. À petits gestes réguliers, elle piquait son aiguille dans les plis du tissu écarlate, mais son esprit était tourmenté. Où était Gilles ? Que pouvait-il bien faire ? La veille, il s'était presque enfui dans la nuit tombante.

Soudain, elle n'y tint plus. *L'Entrepôt* n'était qu'à trois stations de métro, elle allait y passer. Juste pour voir s'il s'y trouvait. Elle n'aurait même pas besoin de lui adresser la parole.

UN CHOC PEUT EN CACHER
UN AUTRE...

Une étoffe dorée tendue à la hâte masquait les deux vitrines de *L'Entrepôt* où l'on avait retrouvé les victimes.

Isabelle surmonta sa répulsion et entra. Un agent préposé à la sécurité la fouilla aussitôt. Elle parcourut lentement le rez-de-chaussée. Ses yeux s'accrochaient à tous les jeunes gens qui portaient l'uniforme rouge et noir des extras embauchés par le magasin. Sans succès. Elle décida de prendre l'ascenseur et de visiter les étages.

Partout, la même cohue, la même fièvre. « La police doit être là, songea-t-elle en dévisageant ceux qui, de près ou de loin, s'apparentaient à des policiers en civil. Et l'assassin, à quoi ressemble-t-il ? »

Soudain, elle se figea. Au rayon des disques, un jeune homme discutait avec une fille blonde. Elle les voyait de dos. Elle reconnut la stature, l'allure de Gilles.

Il s'approcha de la fille qui riait et l'embrassa dans le cou.

Isabelle eut le vertige. Autour d'elle, tout s'écroulait.

Elle redescendit comme une somnambule, pressée par le besoin de se passer de l'eau glacée sur le visage. Posté à l'entrée des toilettes, un vigile surveillait les allées et venues. Devant les lavabos, des femmes se succédaient rapidement, le visage un peu tendu. La jeune fille se contempla dans le miroir. Qu'espérait-elle ? Il n'y avait rien entre Gilles et elle, pas même un baiser. Elle comprenait maintenant pourquoi il lui avait parlé de Manu avec autant d'insistance. Une manière de la prévenir qu'il était déjà pris...

Elle enleva la grosse pince qui emprisonnait ses cheveux et secoua la tête. Après tout, il avait bien le droit d'avoir une petite amie. Oui, mais ça faisait mal. Une seule envie la taraudait : rentrer, s'allonger, ne plus penser à rien...

Une fois sortie des toilettes, elle se fraya un chemin parmi les clients qui attendaient l'ascenseur.

Soudain, une silhouette familière attira son regard.

– Monsieur Dupré ! lança-t-elle, presque malgré elle.

Il sursauta et se retourna.

– Qu'est-ce que tu fiches là ? bougonna-t-il. Où sont les autres ? Je croyais que vous deviez répéter ?

– On a annulé. Gilles n'est pas venu.

Elle préféra ne pas en dire davantage.

– Comment, pas venu ? Mais qu'est-ce qu'il a dans la tête, bon sang ! Je vais lui dire ma façon de penser ce soir ! À moins qu'il ne me pose un lapin, à moi aussi, ajouta-t-il en ricanant.

Isabelle regrettait de lui avoir adressé la parole. L'homme la mettait mal à l'aise.

– Vous faites vos cadeaux de Noël ? demanda-t-elle pour changer de sujet.

– Certainement pas ! répliqua-t-il, piqué au vif. À qui en ferais-je ? Mon fils ? Nous ne passons plus Noël ensemble depuis belle lurette. Et je n'ai personne d'autre...

Il fixa sur elle ses yeux bleus délavés.

– Je vais être franc. C'est la curiosité qui m'a poussé là. Ces meurtres ont fait une belle publicité au magasin, on dirait ! Je te parie qu'à l'heure qu'il est la direction compte les millions de chiffre d'affaires en plus. Et mon fils fait partie de ces gens-là !

Les cadavres dans les vitrines, c'est encore mieux que des mannequins ! Le crime attire la clientèle ! (Un frisson de rage le secoua.) Les gens me dégoûtent ! Quel monde pourri !

Frappée par son expression hagarde, Isabelle grimaça un petit sourire crispé :

– La police va arrêter le meurtrier !

Il ricana :

– La police ? J'en doute... Elle n'est même pas capable de retrouver un simple voyou. Quand j'ai été cambriolé au mois d'octobre, un flic est venu plusieurs fois chez moi, pour me poser des questions. « On vous tiendra au courant ! » répétait-il. Tu parles ! Je n'ai jamais eu de nouvelles. Au fait, qu'est-ce qu'ils t'ont dit hier ? Ils tiennent une piste ?

– Je ne sais pas... Ils ne m'ont parlé de rien, souffla-t-elle.

– Tu vois bien... Des incapables ! triompha-t-il.

Il fronça les sourcils.

– Dis donc, ce n'est pas prudent de traîner ici, avec tout ce qui se passe. Viens avec moi. Je te raccompagne. De toute façon, je comptais m'en aller.

Il fit mine de lui prendre le bras. Instinctivement, elle recula et regarda autour d'elle.

– Non, non, je... Je vais me débrouiller

toute seule. D'ailleurs, je ne risque rien. Le magasin est surveillé, ajouta-t-elle en désignant un vigile.

Le marionnettiste suivit son regard.

– Comme tu voudras. Si tu as confiance en eux...

Il s'éloigna, un peu voûté. Oppressée, Isabelle garda les yeux rivés sur lui jusqu'à ce qu'il disparaisse dans la cohue. Un ascenseur arriva. Les portes s'ouvrirent sur le couple de jeunes gens qu'elle avait aperçu au premier étage.

Elle flageola sur ses jambes, comme déséquilibrée par l'énorme poids qui s'envolait brusquement de sa poitrine. Ce n'était pas Gilles qu'elle avait vu tout à l'heure ! Juste un garçon qui lui ressemblait...

Les amoureux passèrent devant elle en riant. Elle faillit leur demander s'ils connaissaient Gilles Masson. Mais elle n'osa pas. Elle se hâta vers la sortie et se mêla à la foule compacte et obscure qui se pressait sur le boulevard.

– Puisque je te répète que je suis prudente, maman ! Tu vois, il est huit heures et demie, et je suis chez moi, en sécurité.

Assise sur son lit, Isabelle arrachait nerveusement les boulloches de son chandail, le téléphone collé à l'oreille.

– Je t'ai déjà expliqué que c'était impossible ! Le spectacle a lieu le 25 dans l'après-midi ; je n'ai pas le temps de faire l'aller-retour. Je viendrai vous embrasser pour la nouvelle année. Je te le promets. Je dois te laisser maintenant. Au revoir, maman.

La jeune fille s'approcha de la fenêtre. Un voile noir et humide était tombé sur Paris. Ses parents... Quand comprendraient-ils qu'elle avait besoin de mettre de la distance entre elle et eux ? Pourtant, elle les aimait. Oui. Elle les aimait. Elle repensa à sa mère. Une grosse envie de pleurer lui serra la gorge.

La mélodie électronique retentit à nouveau. « Elle rappelle pour me faire changer d'avis » songea-t-elle, agacée.

Résignée, elle prit la communication.

– Salut ! Je te dérange ?

Ébahie, elle reconnut la voix de Gilles.

– Non...

Un souffle retentit dans l'écouteur, suivi d'un silence ponctué de brouhaha et de cliquetis.

– D'où tu appelles ? finit-elle par demander en surmontant sa surprise et son émotion.

– D'un café.

– Tu as eu le message de Manu ? On se demandait où tu étais passé...

De nouveau, le silence.

– Tu sais, il était vraiment furieux, poursuivit-elle. On a annulé la répétition !

Il ne répondit pas. Elle ne savait plus quoi dire, mais elle n'avait pas envie de raccrocher. Elle le tenait là, au bout du fil, tout contre son oreille. Le silence de Gilles valait mieux que son absence.

– Isa ?

Son cœur s'emballa.

– Oui ?

– Je... Je suis désolé pour hier soir.

Elle avait l'impression de rêver. Surtout, ne pas se réveiller...

– J'étais énervé, j'ai tout gâché. (Il marqua une pause.) On aurait pu aller boire un verre ensemble...

– Tu avais ton travail !

Le rire chaud de Gilles la caressa.

– Non ! Je veux dire, maintenant. On pourrait se voir ?

Elle eut soudain l'impression de manquer d'oxygène. Son petit nuage avait pris de l'altitude trop rapidement.

– Là ? Tout de suite ?

– Oui. Je suis au *Parmentier*. Tu vois, le grand café qui fait l'angle...

La voix s'était faite presque suppliante.

Dans la tête d'Isabelle, des pensées contradictoires se bousculaient à toute vitesse. Mais une petite voix impérieuse réussit à s'imposer au milieu du tumulte.

– D'accord, j'arrive ! Disons dans un quart d'heure.

Le sourire aux lèvres, elle commença à coiffer ses cheveux en chignon. Avec un peu de chance, le philtre d'amour que lui avait proposé Oumar serait inutile.

LES COULISSES DU CRIME

Après une journée de piétinements, la neige s'était transformée en boue et recouvrait les trottoirs d'une couche glissante. Garrigue présenta sa carte de police à l'agent qui montait la garde et s'engouffra dans l'entrée réservée au personnel. Il était désormais un familier des lieux. Il eut vite fait de gagner le rez-de-chaussée de *L'Entrepôt*, désert en ce début de soirée et envahi par la pénombre.

Dans les allées, il devinait le buste des femmes de plastique qui ployaient gracieusement les bras, la tête penchée. Comme les statues qui jalonnaient le parc où ils allaient parfois courir ensemble, Florence et lui, avant les cours. Garrigue revit soudain l'hiver sur Chicago, les grands lacs scintillants dans un paysage enneigé, le ciel d'un bleu limpide strié par les pâles rayons du soleil...

Il traversa rapidement le magasin pour

rejoindre le grand hall d'entrée qui lui faisait face, du côté du boulevard. La porte qui menait aux espaces d'exposition était entrouverte. Il l'emprunta. Un étroit couloir desservait les vitrines profondes et larges, surélevées à un mètre du sol. Un faux plancher dissimulait les mécanismes qui actionnaient les décors.

Garrigue s'arrêta devant la vitrine du *Petit Poucet*. Une silhouette élancée se découpait sur la pénombre, immobile, comme celle d'un mannequin. Il distinguait sa tête de trois quarts, une tête fine, au menton volontaire.

– Florence ?

Elle se retourna.

– Qu'est-ce que tu fabriques là, Michel ? Il est plus de vingt heures. Je te croyais rentré chez toi.

– Cette affaire me rend fou !

– Moi aussi. Je m'en veux, dit-elle entre ses dents. Si j'avais mis en place ce dispositif après le premier crime, Aurélie Bardelle ne serait pas morte.

– Tu ne pouvais pas deviner qu'il y aurait un second meurtre !

– C'est bien ce qui me préoccupe ! sifflat-elle. Le meurtrier est intelligent et remarquablement calculateur. Il a choisi sa première victime de façon à nous orienter sur une fausse piste.

– Comment ça ? s'étonna Garrigue.

– Il voulait avoir les coudées franches. Pouvoir continuer à tuer. Pendant que nous pataugions dans le milieu des toxicomanes, il guettait sa seconde proie, bien tranquillement. Il la glissait là-dedans, et organisait sa mise en scène macabre, ajouta-t-elle en désignant la marmite de l'ogre.

Elle s'approcha de la paroi vitrée. À travers l'étoffe dorée, elle distinguait le ballet des voitures sur le boulevard.

– D'après ses facturettes de carte bancaire, Aurélie était encore vivante à dix-huit heures, reprit-elle. Ce qui corrobore les conclusions du légiste. Comme pour Sabine Vinel, l'assassin a agi peu de temps avant l'heure de la fermeture. Et je suis sûre qu'il a caché les corps jusqu'au départ des employés.

– Ce qui implique qu'il connaisse très bien les lieux. Mais après ?

Les épaules de la jeune femme frémirent légèrement.

– Après... (Elle frissonna.) Il attend l'heure propice à ses mises en scène... Ici. Tapi dans l'ombre.

– Mais les caméras ? Les vigiles de nuit ?

– Les caméras ne filment pas le corridor

des vitrines, pas plus que l'escalier qui les relie aux réserves du sous-sol. Quant aux vigiles... La nuit, cet endroit ressemble à un labyrinthe ! Il semble assez facile de déjouer leur surveillance. J'ai retourné cent fois le problème : on ne peut pénétrer dans le magasin que par le grand hall et l'entrée réservée au personnel. C'est par là qu'il est passé. Et il a emprunté le même chemin pour repartir.

– Donc, il a la clé de la porte de service ?

– Inévitablement... L'assassin fait sans doute partie du personnel...

Garrigue s'approcha d'elle.

– On va encore éplucher la liste et vérifier les emplois du temps.

Elle fixait toujours le boulevard, où des badauds s'attardaient. Un frisson parcourut son échine. Cette vitrine ressemblait à une cage dans laquelle elle aurait été prisonnière. Tout le monde l'attendait au tournant, le préfet, l'opinion publique. En dépit du peu de renseignements que la police leur avait communiqués, les journaux avaient fait beaucoup de battage autour de cette affaire. Mais surtout, pour la première fois de sa carrière, elle avait peur. Une peur panique à l'idée que le criminel les épiait dans l'ombre, prêt à recommencer... L'endroit était encore imprégné de sa monstrueuse présence. Elle avait l'impression de sentir son souffle sur elle.

Elle se retourna brusquement.

– Il faut qu'on aille vite, très vite. On a peu de temps...

– Qu'est-ce que tu entends par « vite » ? demanda le policier d'une voix rauque.

Elle attendit un peu avant de répondre :

– Avant le prochain crime...

Les mots résonnèrent dans le silence du magasin.

– Tu crois vraiment que ce type va continuer ?

– J'en suis sûre. Tu l'as vu comme moi, Michel. Il y a quatre vitrines... Il lui faut quatre victimes...

MACABRE DÉCOUVERTE

— Salut !

Gilles leva brusquement la tête. Le visage rougi par le froid, le bout du nez tout rose, avec ses cheveux noirs relevés en chignon et son drôle de chapeau, Isabelle avait surgi près de lui, comme par magie.

Il lui fit la bise, gauchement. Elle s'installa en face, sur la banquette, et commanda un café.

— Tu es là depuis longtemps ? demanda-t-elle en désignant les deux bouteilles de Coca vides.

— Une bonne heure...

Le jeune homme alluma une cigarette. Ses mains tremblaient légèrement.

— Merci d'être venue, dit-il enfin en baissant la voix. Surtout avec ce froid et cette neige !

— Oh ! Un vrai temps de Noël ! lança-t-elle dans un sourire.

Il fit tourner son verre entre ses doigts.

– Noël me tape sur les nerfs...

– À moi aussi.

Il la regarda, étonné :

– Ah bon ?

– Oui. Mais grâce à notre spectacle, pour la première fois de ma vie, je vais échapper à la sacro-sainte dinde aux marrons ! Tu ne peux pas savoir comme je suis soulagée ! Et toi ? Tu réveillonnes en famille ?

Gilles se raidit.

– Ma mère est partie il y a quatre ans et mon père travaille tous les soirs. Il tient un restaurant près de Bastille.

Isabelle se traita mentalement d'idiote. Rosa le lui avait dit pourtant ! Elle tenta de se rattraper :

– Veinard ! Tu dois savourer de bons petits plats !

– Détrompe-toi. Je suis abonné aux surgelés. Même quand ma mère était là, elle n'avait jamais le temps de me faire la cuisine. D'ailleurs, elle n'avait jamais le temps de rien... (Il soupira.) La vraie maison de mes parents, c'était le restaurant. Un jour, elle en a eu assez. Un soir de Noël, justement. On était là, à l'attendre, mon père et moi. La dinde a brûlé, la bûche a fondu. Elle a téléphoné pour annoncer qu'elle ne rentrait pas. Qu'elle ne rentrerait plus jamais.

Elle l'écoutait, les mains posées contre ses joues, sans faire un mouvement, de peur d'interrompre ses confidences. Lentement, il s'apprivoisait.

– Si j'avais eu une vraie famille, si elle était restée, je n'aurais pas perdu pied. Je n'aurais pas eu besoin d'aller voir un psy.

Elle fit un geste vague.

– La famille ! C'est drôle... Tu as l'air de la regretter, et moi je suis venue à Paris pour lui échapper...

Il la regarda d'un air si étonné qu'elle éclata de rire :

– Quatre sœurs, dix oncles et tantes et une trentaine de cousins, ça te dit ? Impossible de faire un pas sans rencontrer quelqu'un. Impossible de s'isoler. Et toujours l'esprit de clan qui t'oblige à rester dans le rang, qui te rattrape si tu t'écartes un peu du chemin tout tracé. Viens faire un petit stage chez nous !

Du bout de sa cuiller, elle récupéra le sucre fondu au fond de la tasse.

– Pourquoi tu le vois au juste, ton psy ?

– Manu ne t'en a pas parlé ?

Il semblait sur la défensive.

– Manu ?

Elle fit un geste d'agacement.

– Écoute, Gilles, Manu ne me fait pas de

confidences. Et je ne veux pas qu'il m'en fasse.

Le regard de Gilles l'enveloppa, reconnaissant.

– Quand ma mère est partie, j'ai perdu les pédales. Plus rien ne m'intéressait. Je n'allais plus en cours, je traînais toute la journée. On a conseillé à mon père de me faire suivre. C'est comme ça que j'ai rencontré Entheaume, mon psy. Il m'aide beaucoup... Mais tous les ans, à la même période, la blessure s'ouvre à nouveau. Alors je me débrouille...

– Qu'est-ce que tu veux dire par là ? balbutia-t-elle, inquiète.

– Oh ! Ne va pas t'imaginer des choses ! Je prends parfois des tranquillisants. Voilà pourquoi je ne suis pas venu cet après-midi. Je dormais.

– Tu dormais ? Si les autres le savaient, ils seraient fous ! On a été obligés d'annuler la séance !

Soudain, elle s'écria :

– Et le décor ? Tu es passé chez Dupré ?

– Merde !

Catastrophé, Gilles regarda sa montre. Neuf heures et demie.

– Ça m'est complètement sorti de l'esprit... Il va me tuer !

– Téléphone-lui, grimaça Isabelle en lui tendant son portable.

– Tu crois ?

– Ce sera mieux que rien. Il doit s'inquiéter.

Il composa le numéro et attendit quelques instants.

– Personne ! Il a peut-être oublié lui aussi.

Isabelle rangea l'appareil.

– Sûrement pas ! Quand je l'ai croisé cet après-midi à *L'Entrepôt*, il m'a parlé de votre rendez-vous.

– Dupré ? À *L'Entrepôt* ? Qu'est-ce qu'il fabriquait là-bas ?

– Aucune idée. Mais j'ai encore eu droit à un couplet sur le règne de l'argent et le comportement écœurant des gens. Il était très remonté. Ensuite, il s'est mis en tête de me raccompagner. Merci bien ! ajouta-t-elle en frissonnant. Dupré n'est pas le genre de type qui me rassure.

Gilles eut un petit rire.

– Et toi ? Qu'est-ce que tu faisais là-bas ?

– Oh... Des courses de dernière minute...

La phrase sonnait terriblement faux, elle s'en rendait compte.

Dans la longue glace perpendiculaire à la banquette, elle voyait leur image de profil : ils formaient un beau couple... Dire qu'ils ne s'étaient jamais embrassés.

– Un couscous, ça te tenterait ? Je connais un endroit très chouette. À moins que tu ne doives rentrer ?

– Non, balbutia-t-elle, étreinte par l'émotion. Je suis libre.

Gilles se leva.

– Tout de même, je suis embêté, pour Dupré. Tu veux bien qu'on lui dépose un mot ? Le restau n'est pas loin de chez lui.

La rue de la Grange-aux-Belles était déserte. Ils s'engouffrèrent sous le porche de l'immeuble et pénétrèrent dans la cour. Les volets du rez-de-chaussée étaient clos. Aucune lumière ne filtrait.

– Personne, souffla Gilles. Je mets ça sous le paillasson.

En se baissant pour faire glisser le billet, son épaule heurta le battant de la porte, qui s'entrebâilla.

– C'est ouvert ? Bizarre ! Depuis qu'il s'est fait cambrioler, il ferme toujours à clé. Peut-être qu'il est chez lui.

Ils entrèrent. L'atelier baignait dans l'obscurité.

– Monsieur Dupré ? Vous êtes là ?

– Aaaah ! hurla soudain Isabelle en perdant l'équilibre.

Gilles la rattrapa par le bras. Une petite musique aigrelette retentit, accompagnée de roulements de tambour.

– Qu'est-ce qui t'arrive ?

– J'ai glissé sur quelque chose ! bougonna-t-elle en se frottant la cheville.

– Attends ! J'allume.

Il tâtonna. La lumière d'une lampe à pied jaillit soudain et vint buter contre une forme étendue à terre.

– Non ! C'est pas vrai !

Gilles se figea.

Isabelle, livide, serrait entre ses mains le petit soldat mécanique sur lequel elle avait trébuché.

Marcel Dupré était étendu sur le carrelage, les yeux grands ouverts. Dans sa main droite, il tenait un revolver. Du sang formait une flaque sur les tomettes.

En face d'eux, les ailes déployées, l'ange joufflu veillait le mort, en le regardant avec une infinie douceur.

AINSI FONT, FONT, FONT
LES PETITES MARIONNETTES...

– Vous pouvez l'emmener ! déclara le médecin légiste en rabattant la couverture sur le corps.

Deux agents soulevèrent le brancard et quittèrent la pièce.

– Alors, Antoine ? demanda Florence.

– Suicide, de toute évidence. La mort remonte à environ trois heures. La balle a traversé la tête pour ressortir sous l'oreille gauche. Il ne s'est pas raté ! Les deux gosses ont dû avoir un sacré choc !

– Une voiture les a conduits au commissariat. Là-bas, on prendra soin d'eux.

Le petit homme chauve contempla le visage chiffonné de la jeune femme.

– Dites, commissaire, il n'y a plus rien à faire pour ce type-là, mais vous, franchement, vous devriez vous soigner. Vous avez une de ces têtes ! Vous seriez mieux dans votre lit !

Les deux mains dans les poches de sa doudoune, elle haussa les épaules.

Mestier la raccompagnait chez elle dans un véhicule de service quand la radio avait crachoté la nouvelle. Ils avaient fait un léger détour pour se rendre sur les lieux. Une équipe était déjà sur place à leur arrivée.

Pendant que les hommes procédaient aux investigations habituelles, elle examina l'atelier.

– Pas de lettre d'adieu, aucune explication... Je me demande pourquoi il s'est donné la mort !

Le légiste avait rangé son matériel.

– Chacun son job ! Bon ! Je file. Je vous fais signe dès que j'ai du nouveau.

Ils se serrèrent la main.

Florence passa en revue les marionnettes suspendues au portant.

– Un type doué ! murmura-t-elle.

– Ouais, mais sûrement pas heureux. Sinon, il ne se serait pas tiré une balle dans la tête ! commenta un policier. On a fini les relevés, patron. Aucune trace d'effraction. L'arme et la balle ont été confiées au service balistique. Il semblerait que, dans le voisinage, on n'ait rien entendu. Ce n'est guère étonnant ! Le premier étage est occupé par un cabinet médical. Le second, par des avocats... À cette heure, il n'y a plus personne.

Elle hocha la tête et s'approcha de l'établi où reposait une marionnette. Son visage s'ornait d'une bouche rouge et de deux grands yeux. La jeune femme tressaillit. De chaque côté de la tête, de longs brins de coton soyeux tombaient, noirs comme les cheveux des deux victimes.

– Patron ? Venez voir !

Presque à regret, elle s'arracha aux pensées qui l'assaillaient. Un des agents était agenouillé devant le buffet.

– Qu'est-ce qu'il y a ?

– Regardez !

Il lui montra une boîte en carton remplie de boules bleues. Rigoureusement semblables à celles qu'on avait trouvées auprès des deux jeunes filles, elles dormaient là, soigneusement rangées...

– Mon Dieu !

– C'était au milieu du fourbi, précisa l'officier en désignant les pots de verni et les bobines de fil.

Florence se pencha sur le couvercle poussiéreux. Tracée au feutre noir, une mention manuscrite indiquait :

Milan. Voie céleste

– Prenez des clichés. Et emballez ça soigneusement. Je l'emporte.

Elle se tourna vers Mestier.

– Allons-y. Je veux interroger les deux jeunes.

Avant de remonter en voiture, elle joignit Garrigue sur son portable.

– Michel ? Rejoins-moi au commissariat. Il y a du nouveau.

Gilles et Isabelle étaient assis côte à côte, face au bureau. Choqués, le visage défait, ils semblaient avoir perdu pied avec la réalité. « Décidément, pensa Florence en contemplant l'adolescente, elle n'a pas de chance. Tomber sur deux cadavres en trois jours… »

Ils venaient de lui faire un compte rendu assez chaotique des événements. Elle avait noté leur emploi du temps de l'après-midi, leur rendez-vous au *Parmentier* et la visite impromptue chez Dupré.

– Depuis quand le connaissiez-vous ? demanda-t-elle doucement à Gilles.

Les yeux dans le vide, le jeune homme murmura d'une voix sourde :

– Quelques mois… Je lui avais demandé

de m'apprendre à fabriquer des marionnettes. Le travail du bois me passionne. Les autres ont fait sa connaissance plus tard, quand nous avons commencé à monter le spectacle. Il nous donnait des conseils.

– Vous semblait-il dépressif ? Avait-il des raisons de mettre fin à ses jours ?

– Je ne sais pas, bredouilla-t-il. Il avait un sale caractère, mais de là à…

Sa voix s'étrangla.

– Il ne s'entendait pas avec son fils, lâcha Isabelle d'une voix à peine audible.

Garrigue saisit la perche :

– Son fils ? Et pour quelle raison ?

– Il travaille à *L'Entrepôt*. Au service marketing. Dupré en était malade. La carrière d'Hervé n'allait pas du tout avec ses idées.

Elle se tourna vers Gilles pour guetter un signe d'approbation, et poursuivit :

– Dupré tenait des propos très durs sur la société. C'était son sujet favori ! Il disait qu'on était en pleine décadence, que les gens ne pensaient qu'à l'argent… Il détestait *L'Entrepôt* par exemple, mais il en parlait sans cesse !

Florence se raidit. Elle entrevoyait enfin une lueur dans cette ténébreuse affaire.

– Une sorte d'idée fixe ? demanda-t-elle en s'efforçant de maîtriser sa voix.

– Quasiment. Selon lui, ce genre de magasin était immoral ! Quand Gilles lui a annoncé qu'il était engagé là-bas pendant les vacances de Noël, il est devenu comme fou !

– Vous êtes employé à *L'Entrepôt*, monsieur Masson ? demanda le commissaire d'un air détaché.

– Oui ! Comme extra.

Un silence flotta dans la pièce. L'ombre gigantesque du magasin semblait s'étendre sur eux.

– Comment avez-vous trouvé ce travail ? s'enquit Garrigue.

Dans son fauteuil, le jeune homme s'agita.

– Grâce à Hervé Dupré précisément. Nous nous sommes croisés à l'atelier, il y a deux mois. Il m'a dit que *L'Entrepôt* recrutait des étudiants pour la période des fêtes et que, si je voulais, je pouvais envoyer un CV. Pour moi, c'était une excellente occasion de gagner un peu d'argent pendant les vacances !

– Je comprends, acquiesça Florence, le visage impassible.

– Vous allez chercher pourquoi il s'est suicidé ? demanda Isabelle, les yeux embués de larmes.

La jeune femme la regarda avec sympathie. Elle avait décidé de passer sous silence sa découverte des sphères bleues chez l'artisan. Mentalement, elle se reporta vingt ans en arrière. Elle devait ressembler à peu de choses près à cette jeune fille brune. À l'époque, elle portait encore les cheveux longs...

– Il est tard, éluda-t-elle. Je vais vous faire raccompagner par une de nos voitures.

– Tout concorde : les boules trouvées à son domicile, sa présence dans le magasin hier après-midi... Sans compter qu'il n'était pas chez lui le soir du premier crime. Le jeune Masson nous a dit qu'il avait essayé de le joindre, mais que le téléphone sonnait dans le vide, récapitula Garrigue.

– Évidemment, Dupré ne tournait pas rond. *L'Entrepôt* constituait pour lui une véritable obsession ! Mais le mobile ? demanda Florence, perplexe.

– En tuant ces jeunes filles, il escomptait vraisemblablement ruiner la réputation du magasin. Ou se venger du fait que son fils y travaillait. Sans compter la dimension symbolique de ses actes !

Il se leva et fit quelques pas dans le bureau.

– Qu'expose-t-on dans les vitrines ? Des marchandises, des objets. Dupré a agi à l'inverse de Geppetto dans *Pinocchio*. Grâce à l'amour que lui prodigue son créateur, la marionnette de bois se métamorphose en garçonnet. Là, c'est le contraire. Dans le temple du commerce, de jeunes filles se transforment en corps sans vie, en simples choses. Peut-être voulait-il, dans sa folie, donner une leçon ?

Elle secoua la tête, un petit sourire aux lèvres.

– Hum... Parfois, je me demande ce que tu fais dans la police... Tu aurais dû être psy, Michel ! Bon, admettons... Mais pourquoi se serait-il suicidé ?

Garrigue vint se rasseoir en face d'elle.

– D'après la petite Méret, hier, à *L'Entrepôt*, Dupré était bizarre. Il l'a même un peu effrayée. À mon avis, il venait de comprendre que son entreprise avait échoué. En dépit des crimes, les clients continuaient à affluer. Il ne l'a pas supporté. Il avait peut-être déjà pris sa décision.

– Possible ! murmura-t-elle en se massant les tempes. Bon, je vais contacter son fils.

– Je m'en charge, si tu veux. Tu as l'air crevé !

Elle dévisagea son adjoint.

– Non. Je mènerai cette enquête jusqu'au bout.

– Comme tu voudras !

– Michel ? Occupe-toi de proposer une assistance psychologique à ces deux jeunes. La découverte d'un cadavre est plutôt traumatisante ! Et si Dupré est le meurtrier, comme tout le laisse supposer, ils auront besoin d'être soutenus... Mon Dieu, quand j'y pense...

– Quoi donc ?

– Hier, au magasin, il guettait peut-être sa prochaine victime. La jeune Isabelle l'a échappé belle ! Elle ressemble aux deux autres victimes...

En face d'elle, Garrigue hochait gravement la tête :

– Tu as raison, elle a eu beaucoup de chance !

L'INVITATION

Isabelle et Gilles étaient assis face à face. Muets, anéantis, ils se laissaient envahir par le brouhaha et les claquements du flipper. Le patron du bar, un homme bedonnant et chauve, s'avança.

– Qu'est-ce que ce sera ?

Ils se regardèrent.

– On n'a pas encore choisi. On attend des gens, répondit Gilles en désignant la place à côté de lui.

Après une nuit de mauvais sommeil, ils s'étaient téléphoné et avaient décidé d'un commun accord d'avertir Manu et Rosa de la mort de Dupré. Ces derniers, atterrés par la nouvelle, devaient les rejoindre.

– C'est pas permis, de faire des têtes pareilles la veille de Noël ! bougonna l'homme en retournant derrière son comptoir.

– Je n'arrive pas à y croire ! murmura Isabelle.

Gilles dit avec effort :

– C'est pourtant comme ça...

– Mais, pour se suicider, il faut aller vraiment mal ! On se serait aperçus de quelque chose !

– Pas forcément ! On avait pris l'habitude de l'entendre ressasser ses idées noires, mais c'était plus grave qu'on ne le pensait ! Sa brouille avec son fils, la société de consommation... Ces crimes à *L'Entrepôt* lui ont donné le coup de grâce. Il a voulu en finir une bonne fois pour toutes avec ce genre humain qui l'écœurait. Finalement, Dupré ne se sentait bien qu'avec ses marionnettes !

Accablée, elle ferma les yeux et croisa ses mains derrière sa nuque. Ses doigts rencontrèrent le lacet du gri-gri offert par Oumar.

Le jeune homme se pencha vers elle.

– C'est lui qui a décidé. Après tout, c'était son droit...

Par-dessus la table, il lui prit la main et lui sourit.

– Tu sais...

Il s'interrompit brusquement. Rosa et Manu venaient d'entrer.

– Vous avez fait vite ! dit Gilles en retirant sa main.

Manu lui jeta un regard noir.

– On peut s'asseoir ? À moins qu'on dérange !

La voix était acide. Rosa, le visage bouleversé, se glissa près d'Isabelle et l'étreignit. Pendant un long moment, ils restèrent silencieux.

– Mais bon sang, qu'est-ce qui lui a pris ? s'écria soudain Manu. La dernière fois que nous sommes allés chez lui, il paraissait normal.

Isabelle fit une mimique d'impuissance.

– Gilles pense qu'à force de ruminer, ça lui est monté à la tête. Et qu'à cause de *L'Entrepôt*...

– Si vraiment ce magasin lui pourrissait l'existence, coupa-t-il, furieux, il aurait balancé une bombe dans les vitrines... C'était plus son style !

– Calme-toi, dit sa sœur en passant son bras autour de ses épaules. On n'y peut plus rien.

Il se dégagea d'un geste brusque.

– Alors ? Qu'est-ce qu'on fait pour le spectacle ?

– Le spectacle ?

Isabelle le regardait, interloquée. Elle avait totalement oublié la représentation.

– Autant que vous le sachiez ! Je n'ai plus envie d'y participer ! reprit Manu, la mine sombre.

Gilles se rejeta en arrière et déclara d'une voix rauque :

– Sans Dupré, ce spectacle n'existerait pas ! C'est lui qui m'a appris à fabriquer les marionnettes, c'est lui qui nous a montré comment on les manipulait ! Si on laisse tomber, il ne restera vraiment plus rien de lui !

– Tant mieux pour toi si tu t'en sens le courage ! Moi pas !

Isabelle insista :

– Pense aux enfants, Manu ! Ils attendent la représentation depuis quinze jours ! Si on annule, ils seront trop déçus !

Le jeune homme la regarda, le visage dur.

– Et alors ? Ils ne seront pas les seuls ! Seulement eux, ils s'en remettront !

Il se leva brusquement en bousculant sa chaise.

– Je préfère me tirer. J'en ai ma claque.

Rosa esquissa un geste pour le rattraper, mais Gilles la retint.

– Laisse. Pas tout de suite. Il a besoin d'être seul...

Elle se rassit, à contrecœur.

– Je le comprends... Sans Dupré, il n'y a plus de fête... Je vais essayer de le faire changer d'avis, mais je ne promets rien.

112

Isabelle s'enveloppa dans son poncho et rejeta ses longs cheveux noirs en arrière.

– Nous devons prendre une décision rapidement ! Si le spectacle est annulé, il faut prévenir l'école.

– Je sais, répondit son amie. On en reparlera demain. Tu te souviens qu'on avait prévu de passer chez Oumar ?

– Bien sûr !

Rosa se leva.

– Manu doit m'attendre à la voiture... Alors à demain, Isa, dit-elle en ignorant ostensiblement Gilles.

– Sale ambiance, laissa tomber celui-ci quand elle fut partie. Une fois de plus, Noël s'annonce sinistre.

Il marqua une pause, puis reprit, la voix légèrement anxieuse :

– Qu'est-ce que tu fais demain soir ?

La question la prit au dépourvu.

– Je ne sais pas. (Elle haussa les épaules.) Je suppose que j'irai au cinéma. Il y aura de la place dans les salles !

Il jouait avec son briquet.

– On pourrait y aller ensemble ? À moins

que tu ne préfères être seule… s'empressa-t-il d'ajouter en remarquant sa surprise.

– Oui. Je veux bien, finit-elle par répondre tout doucement.

Les yeux noisette étincelèrent.

– Écoute ! Exceptionnellement, demain le magasin ferme à dix-neuf heures… Retrouvons-nous quelque part. Tu vois le petit bistrot, au coin de la rue Meslay ?

– Oui.

– Alors, rendez-vous là-bas, vers sept heures et quart. Je me dépêcherai.

– D'accord, bredouilla-t-elle le cœur battant.

Finalement, le père Noël existait peut-être !

UN BOUQUET DE ROSES

– Joyeux Noël, ma chérie !

Florence sursauta. Son mari venait de déposer un baiser dans son cou.

– Mais Jean, ce n'est pas encore Noël !

– Oh, presque ! Nous sommes le 24 et il est treize heures. D'ailleurs, le père Noël t'a déjà apporté ton cadeau, non ? L'arrestation du coupable.

Le visage de la jeune femme se rembrunit.

– Il s'est arrêté tout seul ! Je n'y suis pour rien.

Il croisa les bras.

– Ah ! Je vois ! Tu es frustrée de ne pas avoir accompli un coup d'éclat ! Pas de traque cette fois. Le souffle du danger ne t'a pas brûlé la peau, ironisa-t-il.

– Tais-toi ! Nous ne sommes pas dans une série télévisée !

– Vraiment ? En tout cas, les journalistes t'ont encore fait des ronds de jambe.

Bientôt, tu seras à la une des magazines féminins : « Florence Davant, commissaire de police. La vie trépidante d'une jeune femme moderne. »

Elle frissonna.

– Arrête ! Tu sais que je déteste tout ce cinéma. Je me demande ce qui a pris à Michel de dévoiler certains éléments de l'enquête aux journalistes qui traînaient devant le commissariat... Résultat, ajouta-t-elle en désignant un journal ouvert sur la table, ils ont tiré des conclusions que je n'ai pas encore formulées officiellement !

– Tu crois que Marcel Dupré est l'assassin des vitrines ? demanda son mari en fronçant les sourcils.

– Oh ! Très probablement ! Les charges retenues contre lui sont accablantes ! Et ma hiérarchie me presse de clore le dossier ! On m'a déjà retiré les effectifs supplémentaires que j'avais demandés pour la surveillance du magasin. Manque de personnel oblige ! Mais je n'aime pas être bousculée ! Tout a été si vite dans cette affaire...

– Pas assez à mon goût ! J'espérais que tu pourrais prendre une demi-journée de congé pour rester avec moi cet après-midi !

– Impossible, dit-elle en souriant. Garrigue m'attend. Je suis juste passée déjeuner avec toi.

On sonna à la porte.

– Tiens ! Le père Noël, sans doute ! souffla Jean en allant ouvrir.

Elle secoua la tête, amusée. Son mari revint près d'elle, un gros bouquet de roses à la main.

– Pour toi ! annonça-t-il.

Stupéfaite, elle contempla les fleurs.

– Mais Jean ? Tu n'aurais pas dû ! Elles sont splendides !

– Alors là, je t'arrête tout de suite, ma chérie ! Je n'y suis pour rien. Tu auras ton cadeau ce soir, à minuit, si tu es bien sage.

Intriguée, elle arracha l'enveloppe agrafée au cellophane et en sortit une carte de bristol. Sous l'enseigne du fleuriste, *Au Jardin d'Éden*, un mot, un seul, apparaissait en lettres capitales :

FÉLICITATIONS !

– Un admirateur, probablement, commenta Jean Davant sur un ton narquois.

– Bizarre... murmura-t-elle.

– On ne m'enlèvera pas de l'idée que c'est ton colonel... Enfin, ton lieutenant. La dernière fois, il examinait tes portraits dans l'entrée avec un air béat... Le type même de l'amoureux transi !

Elle haussa les épaules.

– Tu es bête ! D'ailleurs, je t'ai déjà

demandé d'enlever ces photos... C'est prétentieux, et d'autant plus ridicule qu'elles commencent à dater sérieusement.

– Je te l'accorde. À cette époque, nous ne nous connaissions pas encore... Je bouclais mes études d'architecture à Poitiers pendant que tu tournais la tête de tous les étudiants boutonneux de Chicago !

– Oh ! Ils n'étaient pas tous boutonneux ! taquina Florence.

– Tu ne nies donc pas que tu leur tournais la tête ?

Elle fit une petite mimique embarrassée.

– Quelques-uns... J'ai dû en éconduire...

– Avoue plutôt que tu as brisé des cœurs !

– Non ! J'y mettais les formes... À tel point que certains ne comprenaient pas et s'accrochaient... (Une expression amusée passa sur son visage.) J'ai souvenir d'un type en particulier qui ne cessait de m'envoyer des mots enflammés. Anonymes, hélas ! Je n'ai jamais pu savoir de qui il s'agissait !

– Vraiment ?

– Je t'assure ! Tu demanderas à Michel, si tu ne me crois pas. Qu'est-ce qu'on a ri, tous les deux ! Il m'a aidé à passer l'amphi en revue pour trouver l'auteur de ces lettres !

– Et alors ?

– Rien. L'intéressé a dû s'apercevoir de

118

notre petit manège. Du jour au lendemain, plus de mots, plus de fleurs...

– Et un noyé de plus ! déclama Davant d'une voix faussement dramatique. En tout cas, maintenant, c'est moi qui m'accroche à toi, chuchota-t-il en l'enlaçant.

Elle se dégagea doucement de l'étreinte.

– Je dois retourner au commissariat. Garrigue m'attend...

– Rappelle-lui que je suis jaloux comme un tigre.

Elle lui adressa un grand sourire.

– Rassure-toi. Tu n'as rien à craindre de lui !

DERNIER AVERTISSEMENT

Isabelle et Rosa prenaient un café à *La Chope de Barbès*, une grande brasserie qui faisait l'angle du boulevard Barbès et de la rue Custine. Deux sacs à dos bourrés de menus cadeaux étaient posés à leurs pieds.

– Comment va Manu ?

– Couci-couça, répliqua Rosa en avalant une grosse bouchée de pain au chocolat. Il essaie de donner le change. Ma famille est arrivée d'Espagne hier, alors on n'a plus le temps de parler. Surtout de ça.

– Je suis désolée, tellement désolée.

– Pour le spectacle ? Tu sais, je n'ai pas pu le convaincre !

Isabelle haussa les épaules.

– Tu sais bien de quoi je veux parler... J'aurais voulu que les choses se passent autrement.

– Moi aussi... (Elle balaya les miettes d'un revers de la main.) Il a l'air solide, mais c'est un cœur sensible. Je ne sais pas quel a été pour lui le choc le plus rude : apprendre le suicide de Dupré, ou découvrir que son meilleur ami a réussi là où il s'est planté !

– Tu m'en veux ?

– Moi ? (Elle haussa les sourcils.) Ne dis pas de bêtises ! Si tu n'avais pas joué franc jeu avec mon frère, j'aurais eu de bonnes raisons de t'en vouloir. Mais tu as toujours été claire. Manu s'est entêté, tant pis pour lui ! (Elle esquissa un sourire.) Maintenant au moins, la situation est nette. Il ne peut plus se réfugier dans de faux espoirs. Alors comme ça, reprit-elle d'un ton enjoué, Gilles et toi, vous passez la soirée ensemble ?

Isabelle froissa nerveusement le papier qui emballait le morceau de sucre.

– Oui. Je n'en reviens toujours pas. Tout a été tellement vite ! Tu crois qu'il m'aime ?

La bouche pleine, Rosa déclara :

– Il te donne rendez-vous pour passer la soirée avec toi, il t'envoie des roses, et tu te demandes encore s'il t'aime ? Il faut vraiment qu'on te mette les points sur les i !

– J'ai la trouille, Rosa. Je ne peux pas m'empêcher de penser que c'est trop beau pour être vrai !

– Je t'assure que Gilles n'est pas le genre à faire semblant ! Mais si tu en doutes, on demandera à Oumar une petite consulta-

tion gratuite en guise de cadeau de Noël !
plaisanta la jeune fille.

Au 132 de la rue Myrha, elles furent
accueillies triomphalement par les enfants
qui jouaient dans la cour.

– Venez voir notre arbre de Noël !

– Vous avez un sapin ? s'étonnèrent-elles.

– Mieux que ça !

Ils les entraînèrent devant un portemanteau métallique. Des guirlandes dorées
s'enroulaient autour du tronc lisse et fuselé.
Aux patères étaient suspendus des ballons
multicolores.

– On a réussi à le ramasser sur le trottoir avant que les éboueurs l'embarquent.
C'est chouette, non ? Et encore, on n'a pas
fini de le décorer !

– N'oubliez pas d'être sages, recommanda Rosa. Sinon, le père Noël ne passera pas !

Elles grimpèrent l'escalier jusqu'à l'appartement du marabout. Le vieil homme
avait revêtu une longue tunique blanche
brodée de fils d'or.

– Bonjour jeunes filles ! Que pensez-vous de ma tenue ? Tout droit sortie de l'atelier !

– Splendide !

Elles sortirent les cadeaux des sacs à dos.

– Vous allez faire un merveilleux père Noël ! Les enfants seront si heureux. Une façon à nous de vous remercier pour le travail que vous nous avez donné, dit Rosa.

Oumar eut un petit rire. Isabelle demanda :

– Au fait, et ce tiercé ?

– Plus besoin. Les affaires reprennent.

Il la dévisagea avec curiosité.

– Et toi ? Comment vas-tu depuis la dernière fois ?

Elle lui adressa un sourire radieux.

– Les affaires reprennent aussi. Merci pour le gri-gri. Il m'a porté bonheur...

Le vieil homme hocha gravement la tête.

– Garde-le précieusement autour de ton cou ! La chance tourne plus vite que le vent.

La jeune fille échangea un regard complice avec Rosa.

– Je crois que je n'ai rien à craindre pour le moment.

Il resta songeur un instant.

– Méfie-toi quand même ! finit-il par lancer en pointant son index sur elle. On ne sait jamais.

En redescendant les escaliers, Isabelle s'exclama :

– Oumar est incroyable ! Il veut à tout prix avoir le dernier mot.

– Normal ! Son pouvoir magique ne doit pas être mis en défaut. La prochaine fois que tu auras une tuile, il te dira qu'il t'avait prévenue !

Elles s'embrassèrent.

– Joyeux Noël, Rosa, à toi et à toute ta famille ! Pour Manu... (Elle hésita.) J'aimerais vraiment conserver son amitié... Essaie de le lui faire comprendre.

– Compte sur moi ! Joyeux Noël à toi aussi, Isa !

– Merci ! Je suis sûre qu'il sera inoubliable !

LE SECRET DE L'ANGE

Florence arpentait son bureau, un dossier entre les mains.

– Les recherches sur les sphères bleues ont abouti. Grâce à l'inscription sur le couvercle de la boîte, on a retrouvé la trace d'un dénommé Federico Zirelli. Metteur en scène professionnel. *Voie céleste* est un spectacle qu'il a monté à Milan, voilà dix ans. Dupré lui avait livré dix marionnettes géantes : des anges, tenant dans leur main des boules bleues.

– Eh bien, voilà le dernier mystère éclairci ! déclara Garrigue en lissant ses moustaches. Celles que l'on a retrouvées chez lui devaient provenir du stock. Au fait, j'ai discuté avec Mestier. Tu sais qu'il connaissait Dupré ?

– Comment ça ? Il est fiché ?

– En tant que victime, oui ! Il a été cambriolé au mois d'octobre. Le 13, exactement ! Les plus belles pièces de sa collection de marionnettes ont été dérobées. Mestier a retrouvé le rapport de l'enquête.

– Et alors ?

– Les voleurs courent toujours ! On a interrogé ses voisins, le jeune Masson aussi. Oh ! Il n'avait rien à voir avec cette affaire : au moment des faits, il était chez son psy, qui a corroboré ses dires.

Le téléphone sonna. Florence décrocha.

– Davant, j'écoute. Ah ! Berthon ! Alors, cette expertise ? ... Quoi ?

La stupéfaction se peignit sur son visage.

– ... Mais non, nous n'en avons retrouvé qu'une ! Et le rapport du légiste est formel ! Un seul impact sur la tempe droite ! Vous pouvez envoyer une équipe sur place ? Dans une demi-heure ? D'accord.

Elle raccrocha, livide.

– Berthon est catégorique. Le revolver qu'on a retrouvé dans la main de Dupré a tiré deux balles à quelques secondes d'intervalle ! Viens, on file chez Dupré !

La pièce était restée telle que Florence l'avait trouvée la première fois. Les marionnettes, sagement pendues à leur portant, semblaient attendre le retour de Marcel

Dupré. Sur les tomettes, les contours d'une silhouette tracés à la craie blanche indiquaient la position du corps.

– Je ne comprends pas que ce genre de choses ait pu vous échapper ! déclara-t-elle, furieuse, à l'un des deux hommes du service balistique.

– Tout indiquait un suicide ! se défendit-il. Nous avions l'arme et la balle. Il n'y avait pas de raison de chercher plus loin.

– La preuve que si ! lâcha-t-elle excédée. (Elle respira profondément, tentant de retrouver son calme.) Maintenant, le tout est de savoir où est cette seconde balle !

Garrigue explorait déjà l'atelier, tournant lentement sur lui-même, les yeux rivés aux murs. Son regard s'arrêta sur l'ange qui souriait aux policiers.

– C'est sûrement des marionnettes dans ce genre-là qu'il a fabriquées pour le spectacle de Milan ! Tiens, c'est curieux, reprit-il après un moment de silence, on dirait qu'il saigne !

La jeune femme s'approcha et plissa des yeux. Sur le bout de l'aile gauche, elle distinguait de petites éclaboussures brunâtres.

– Vous pouvez jeter un œil ? ordonna-t-elle aux techniciens qui se livraient à de minutieuses investigations.

L'un d'entre eux dénicha un escabeau. Lestement, il grimpa les marches métalliques jusqu'à ce que ses yeux parviennent à la hauteur du visage de la créature.

– La peinture a été éraflée, déclara-t-il en effleurant le bout de l'aile. En dessous, c'est de la résine rouge.

Il scruta le mur.

– Commissaire, s'exclama-t-il soudain, je crois que j'ai trouvé ce que vous cherchez ! Je distingue un impact, là, à droite !

Il désignait un endroit à quelques centimètres de la statue.

– Je suis quasiment certain que la balle est encore dedans ! Les murs sont en plâtre ! Elle a dû s'enfoncer à l'intérieur !

– Hein ? s'écria Garrigue, ahuri.

L'homme redescendit prestement, enfila des gants de nylon transparent et remonta, une trousse d'outils à la main. Quelques instants plus tard, il sautait à terre, la balle entre les doigts.

– Et voilà !

Florence acquiesça d'une voix sourde :

– Très bien. Je veux l'expertise le plus rapidement possible !

Les deux techniciens s'éclipsèrent.

La jeune femme se mit à marcher de long en large, le visage dur, les yeux remplis de colère.

– Difficile d'imaginer que Dupré s'est raté une première fois au point de tirer dans le mur...

– Évidemment... La thèse du suicide ne tient plus ! reconnut Garrigue.

– C'est le moins qu'on puisse dire ! Mais quelqu'un a tout mis en œuvre pour que nous l'adoptions ! (Elle se mordilla les lèvres.) Avant-hier soir, quelqu'un s'introduit chez Dupré. Les deux hommes luttent, un coup part. (Elle leva les yeux vers l'ange.) Voilà pour la première balle. L'agresseur finit par avoir raison de sa victime. Il maquille son meurtre en suicide, sans songer que l'impact dans le mur le trahira.

– C'est plausible ! Mais ce quelqu'un, ce serait qui ? Un rôdeur ? Le type qui est déjà venu au mois d'octobre ?

Elle lança d'une voix rauque :

– Tu crois qu'un cambrioleur se serait donné autant de mal pour faire croire à un suicide ? Après avoir tiré, il serait parti en courant. Du reste, rien n'a été dérobé ! Non ! C'est lui. (Un frisson de répulsion la secoua.) L'assassin des vitrines ! C'est ici qu'il s'est procuré les sphères bleues. Dupré devait le connaître. Voilà pourquoi, le soir de sa mort, il lui a ouvert sans méfiance. Le tueur aura eu peur qu'il ne parle ! conclut-elle rageuse.

– Dupré ne fréquentait pas grand monde, objecta Garrigue, à part le jeune Masson et ses amis qui montaient leur spectacle sous sa direction.

Elle sursauta soudain, comme traversée par une décharge électrique.

– Gilles Masson avait rendez-vous chez Dupré le soir de sa mort. Vers dix-neuf heures. L'heure approximative du décès, selon Antoine.

– En effet, acquiesça Garrigue, les sourcils froncés. Mais il a oublié. Il nous a dit qu'il avait dormi une bonne partie de l'après-midi, puis qu'il avait flâné avant de se rendre au *Parmentier*, vers dix-neuf heures trente.

Il la regardait en s'efforçant visiblement de suivre son raisonnement.

– Tu crois qu'il nous a menti ? Remarque, il aurait très bien pu assassiner Dupré avant d'aller au café. C'est à un quart d'heure à pied d'ici !

– Auquel cas il aurait demandé à Isabelle de le rejoindre au *Parmentier* dans le seul but de la conduire au domicile de Dupré. Pour donner l'impression qu'il découvrait le corps en même temps qu'elle ! renchérit Florence, les yeux brillants. Il faut l'interroger au plus vite ! Appelle le magasin ! Je veux savoir s'il s'y trouve aujourd'hui.

La communication dura cinq minutes à peine.

– Il travaille jusqu'à la fermeture. Je file le cueillir ?

– Oui. Mais discrètement surtout. Et ne lui dis pas pourquoi tu l'embarques. Pas question qu'il s'affole et qu'il t'échappe.

– Tu peux compter sur moi !

AU FOND DES TÉNÈBRES

Au volant de sa voiture, Florence tentait de faire le point. Mais son esprit s'emballait, sans qu'elle puisse le retenir.

Gilles Masson... Elle le revoyait au commissariat, assis aux côtés d'Isabelle, le regard vide. Que lui avait donc dit Garrigue l'après-midi même ? Que le jeune homme avait été interrogé après le cambriolage dont le marionnettiste avait été victime... Et qu'au moment des faits il se trouvait chez son psy... Elle se raidit. Pourquoi Masson voyait-il un psychiatre ? Les troubles dont il souffrait avaient-ils pu le pousser à tuer ?

Elle fronça les sourcils. Les crimes avaient commencé peu de temps après son embauche à *L'Entrepôt*. De plus, grâce à son travail, il connaissait parfaitement les lieux. Les visites régulières à Dupré lui avaient donné l'occasion de voler les sphères bleues. Et, informé de la haine que vouait le marionnettiste au magasin, il avait su en tirer parti pour lui faire endosser la culpabilité des deux meurtres précédents. Pourtant, il avait fait preuve d'une grave négligence en oubliant la balle dans le mur. Une erreur surprenante même de la part d'un assassin qui, jusqu'à présent, n'avait rien laissé au hasard...

Le pouls de la jeune femme s'accéléra. Justement le jeune Masson était-il capable d'autant de calcul ? Depuis le début, le meurtrier se jouait de la police, il la provoquait en exhibant le corps de ses victimes dans les vitrines de *L'Entrepôt*. Tapi dans l'ombre, il tirait les ficelles, et elle, pauvre marionnette, dansait docilement.

Elle freina brutalement pour éviter un piéton. Sa main glacée actionna le levier de vitesses. Elle repensait au billet qui accompagnait le bouquet de roses : « *FÉLICITATIONS !* » Stupidement, elle avait songé à l'envoi de collègues. Elle avait même interrogé Garrigue, qui s'était exclamé en riant : « Au risque de passer pour un goujat, je t'assure que ce n'est pas moi ! » Maintenant, elle en était sûre : le mot venait de l'assassin ! Informé par la presse des avancées de l'enquête, il ironisait sur ses conclusions erronées ! La connaissait-il donc, pour l'attaquer ainsi personnellement ?

Repoussant la peur qui montait en elle, elle roula vers la rue Saint-Honoré où se trouvait *Le Jardin d'Éden*, une luxueuse boutique de fleuriste. Elle devait en avoir le cœur net.

En chemin, elle essaya de joindre Garrigue. En vain. Son portable était branché sur la messagerie.

– Bonsoir, dit-elle en faisant irruption dans le magasin, sa carte de police à la main. Je voudrais interroger la personne qui s'est occupée d'une commande pour le 67 boulevard Sébastopol.

Une jeune femme blonde, aux yeux très maquillés, se présenta, un peu inquiète.

– J'ai reçu cet après-midi un magnifique bouquet de roses venant de chez vous. Avec une simple carte de félicitations. J'aimerais savoir qui me l'a envoyé.

– Bien sûr...

L'employée ouvrit un gros registre qu'elle feuilleta rapidement. Son index à l'ongle impeccablement verni suivit les lignes et s'arrêta.

– Ah ! Voilà ! L'expéditeur est M. Masson.

– Ce client, vous l'avez vu ? demanda Florence, le cœur battant.

La vendeuse secoua la tête

– Non... (Elle sourit.) Sa façon de procéder était assez curieuse, mais nous sommes habituées aux caprices de la clientèle ! Il a passé ses commandes par téléphone en nous assurant qu'un coursier remettrait l'argent. En effet, une demi-heure après son appel, on a apporté une enveloppe contenant la somme en liquide. Agrémentée d'un pourboire...

– Ses commandes ? coupa Florence. De quoi s'agissait-il ?

– Regardez, tout est là, répondit l'employée en tournant le registre vers elle.

Atterrée, Florence lut les lignes tracées d'une écriture appliquée :

Mme Florence Davant, 67 bd Sébastopol : 13 Ch. P. + message : « Félicitations ! »
Mlle Isabelle Méret, 27 rue du fg du Temple : 11 R. d. Nge + message : « Je t'attends devant les ascenseurs à six heures. Joyeux Noël. Gilles. »

Elle revit les longs cheveux noirs de la jeune fille, l'expression tendre de ses yeux verts lorsqu'elle regardait Gilles.

Selon toute vraisemblance, Isabelle était là-bas.

– Ces abréviations, ce sont des noms des fleurs ?

– Parfaitement... M. Masson a beaucoup insisté pour avoir ces variétés-là...

Quand elle quitta la boutique en courant deux minutes plus tard, Florence était trempée d'une sueur froide. Les ténèbres se dissipaient. Mais ce qu'elle entrevoyait était encore plus diabolique que ce qu'elle avait imaginé.

Elle regarda l'heure. Dix-huit heures cinquante. *L'Entrepôt* fermait dans dix minutes. Était-il déjà trop tard ? Le portable de Garrigue restait muet...

Elle brancha la sirène pour se frayer plus vite un passage dans la circulation.

L'effroi avait fait place au sang-froid.

DOCTEUR JEKYLL ET MISTER HYDE

– Quand elle verra que je ne donne pas signe de vie, le commissaire débarquera directement ici. Ça sera fini pour vous ! L'enquête se termine.

Étendus par terre, dans la réserve du sous-sol, Gilles et Isabelle, les lèvres scellées par du papier collant, les poignets et les chevilles solidement ligotés, ne quittaient pas le policier du regard. Les deux adolescents ressemblaient à des animaux traqués. Parfaitement maître de lui, Garrigue souriait aux ombres du magasin, comme s'il les avait depuis longtemps apprivoisées. De temps en temps, il lissait ses fines moustaches.

– Vous en avez de la chance de vous aimer, finit-il par dire. Moi, je l'aime depuis quinze ans. Mais ce n'est pas réciproque… Mes lettres, mes poèmes, mes déclarations sont restés sans réponse.

Il redressa la tête. Ses yeux brillaient d'une lueur haineuse.

– Elle s'est moquée de moi ! Elle a tourné en dérision mes sentiments les plus sincères ! Chaque jour, elle entretenait ce brave Michel, le bon copain de fac, des déclarations qu'elle recevait... Elle riait, elle riait ! Je la revois, renversant sa gorge, ses cheveux noirs couvrant ses épaules. J'entends encore ses suppositions désobligeantes sur l'identité de son amoureux : « Est-ce un fou ou un monstre pour qu'il n'ose pas signer ses lettres ? »

Il pointa le doigt vers un interlocuteur imaginaire.

– Tu cherchais bien loin ce qui était près de toi, Florence. Tu piétinais mon cœur. Et moi, je devais donner le change. Quelle torture...

Il se laissa glisser le long du mur et s'assit sur ses talons.

– J'ai tout fait pour oublier. Je me suis même marié. (Il ricana.) Un échec ! Florence était toujours là, son souvenir me guettait, me réveillait la nuit. Et un soir, au journal télévisé, je l'ai vue. Pas le fantôme du passé, pas les bégaiements de ma mémoire. Non. Elle, en chair et en os. Le commissaire Davant.

Il frémit.

– Alors, j'ai mûri mon plan. J'ai obtenu une mutation dans son commissariat. J'ai joué la scène des retrouvailles attendries, le rôle du bon vieux copain qui refait surface au bout de quinze ans, dans l'attente de me venger. Et puis la chance m'a souri... En tapant un rapport à la place d'un collègue, j'ai découvert l'existence de Marcel Dupré. Il venait de se faire cambrioler. Sous prétexte de mener une enquête, je suis allé plusieurs fois chez lui, pour provoquer ses confidences... Il m'a tout d'abord donné l'idée des marionnettes. Dans la pièce que j'allais construire, tous les acteurs agiraient selon ma volonté. Telles des marionnettes vivantes. Son aversion pour *L'Entrepôt*, son fils dans la place, m'ont ensuite inspiré le cadre du crime. Florence avait été mannequin, elle finirait de la même manière. Dans une vitrine de grand magasin. Parée de mille feux pour fêter Noël. Je n'ai pas eu de mal à subtiliser une clé de l'entrée de service sur le bureau des vigiles de nuit...

Le sourire aux lèvres, Garrigue lissait ses moustaches.

– Dupré devait être le fil qui conduirait Florence jusqu'ici. Au cours d'une de mes visites, il m'a été facile de lui voler les boules bleues. Un clin d'œil au ciel pur de

Chicago, aux lueurs dansantes du soleil d'hiver ! Autant de petits cailloux qu'elle suivrait pour arriver jusqu'à moi. Je revois encore l'expression de stupéfaction de Dupré quand j'ai sorti mon revolver... Finalement, malgré son cynisme, il n'avait pas envie de mourir ! Mais ma plus belle réussite, c'est toi, poursuivit-il en se tournant vers Gilles. Une pure merveille. Je connaissais, grâce à l'enquête sur le cambriolage, ton existence et celle d'Entheaume, ton psychiatre. Une visite nocturne à son cabinet m'a permis de consulter ton dossier... J'y ai trouvé de quoi te faire accuser de mes crimes. Le départ de ta mère un jour de Noël, qui ravive chaque année ton angoisse, ton parcours chaotique, ton agressivité rentrée. Et puis, cette mention ajoutée à la main : « A trouvé un travail à *L'Entrepôt.* » Il ne me restait plus qu'à tendre mon piège !

Il se remit debout et fit quelques pas. Les talons de ses bottes claquaient sur le sol.

– À l'heure qu'il est, mon petit robot téléguidé fonce ici, persuadé que tu es le coupable. Ah ! Ah ! Un coup de maître, ce faux suicide dont je savais pertinemment qu'il serait découvert ! Quelle joie quand Berthon a téléphoné cet après-midi ! Hé oui, deux balles, deux ! Quelle jouissance de la voir dans l'atelier de Dupré lutter pour conserver son sang-froid. Au moment où elle croyait établir la vérité, le sol se dérobait sous elle et elle tombait dans le piège ! Je la connais, ma petite Florence ! Intelligente comme elle est, elle a dû appeler le fleuriste ! Maintenant, elle s'inquiète pour moi. Et pour toi, Isabelle ! Quelle leçon quand elle comprendra son aveuglement ! Mais il sera trop tard. Cette nuit, dans les vitrines, on trouvera les corps de deux jeunes femmes brunes. Les dernières victimes. Et puis, il y aura celui de l'assassin, déclara-t-il dans un sourire. Mais oui, Gilles, tu es l'assassin. Je me suis toujours arrangé pour commettre les crimes aux heures où tu n'avais pas d'alibi. J'ai eu accès à ton planning de travail. Pour le reste, le hasard m'a servi. Quelle aubaine que tu aies oublié le rendez-vous avec Dupré et que tu aies erré dans les rues, là où personne ne t'a vu ! Ta culpabilité ne fait aucun doute ! D'ailleurs n'as-tu pas envoyé des fleurs à Isabelle et au commissaire, pour les attirer ici... Tu ne comprends rien, n'est-ce pas ? Peu importe ! On ne demande pas aux pantins de comprendre...

Il tourna brusquement la tête, l'oreille aux aguets.

– Il faut y aller maintenant !

Il se pencha sur les deux jeunes gens et leur délia les chevilles.

– Allons, debout ! Nous allons prendre l'escalier qui mène aux vitrines. C'est là que nous l'attendrons.

D'une main de fer, il les obligea à se lever et à marcher. Aucune résistance n'était possible. Les poussant devant lui, Garrigue gravit lentement les marches en chuchotant à l'oreille d'Isabelle, très pâle dans sa robe rouge :

– Souris, ma belle Reine des Neiges ! Les couleurs du crime te vont à ravir...

RENDEZ-VOUS AVEC LA MORT

Dominant son émotion, Florence se gara juste devant l'entrée du personnel.

L'Entrepôt avait fermé ses portes depuis une demi-heure. Aucune trace de Garrigue. Il était probablement à l'intérieur.

Elle essaya de dominer la peur qui la tenaillait. Michel n'était pas homme à foncer tête baissée dans l'inconnu. Bien au contraire. Elle avait toujours été frappée par son extraordinaire capacité de prévoyance. De la haute stratégie, comme celle qu'il déployait brillamment lors des tournois d'échecs à l'université. Il devait se douter qu'elle viendrait, il l'attendait, confiant. Et Isabelle dans tout ça ? Son cœur se serra. À coup sûr, elle était tombée dans le piège du bouquet...

Elle ouvrit son sac à main, prit le Beretta qui ne la quittait jamais, le glissa dans la ceinture de sa jupe et boutonna son manteau par-dessus. Personne n'aurait pu en deviner l'existence.

L'entrée de service était verrouillée, mais elle avait la clé que lui avait remise le directeur du magasin. Le lourd battant de métal claqua dans son dos.

Les sens en éveil, elle parcourut le long couloir faiblement éclairé par des plafonniers crasseux. Au bout, une porte coupe-feu. Elle fit basculer la barre de fer, et descendit quelques marches. Elle se retrouva dans la salle réservée aux employés, située au sous-sol. Deux possibilités s'offraient à elle : gagner le rez-de-chaussée du magasin ou accéder directement aux vitrines par le petit escalier situé à l'extrémité de la réserve. Elle opta pour la seconde solution.

S'efforçant de calmer les battements de son cœur, elle avança silencieusement. Le succès de l'entreprise dépendait de l'effet de surprise. La crosse de l'arme, dure et froide, appuyait contre son ventre.

L'escalier se présentait à elle. Il lui sembla entendre un cri étouffé.

Elle saisit son Beretta.

Encore une dizaine de marches, et derrière la porte, la mort. Soudain, une vague de terreur déferla sur elle. Elle était folle d'être venue seule. Les risques étaient énormes ! Deux vies, sans compter la sienne, reposaient entre ses mains. Elle n'avait aucun droit à l'erreur.

Elle prit une grande inspiration, banda ses muscles et poussa le battant.

Quelques secondes avant qu'il ne s'abatte sur elle, Florence sentit sa présence derrière la porte. D'une brusque détente, elle envoya son pied dans le plexus solaire de son agresseur et roula sur elle-même pour se débarrasser des mains qui s'accrochaient à ses épaules, qui enserraient son cou... Alors, lentement, elle glissa son bras entre son corps et le corps de l'autre. Elle tira.

L'étreinte se relâcha brusquement. Il culbuta sur le côté, les membres écartés, comme un pantin désarticulé.

Elle se redressa. Dans les lueurs dansantes que projetaient les illuminations du boulevard, elle aperçut Isabelle et Gilles, attachés, épouvantés, mais vivants. À ses pieds gisait Garrigue. Une large tache rouge commençait à poindre sur sa chemise blanche, juste au niveau de l'abdomen. Ses yeux, remplis d'étonnement, étaient rivés à ceux de la jeune femme.

– Tu avais tout prévu, Michel, sauf que je devinerais que c'était toi qui menais la danse, laissa-t-elle tomber, haletante. Tu t'es surestimé... Les marionnettes se rebellent parfois.

Il fit un terrible effort pour redresser la tête.

– Bien sûr, ton cerveau malade voudrait comprendre ! Je pressentais que quelqu'un me manipulait en me mettant sur de fausses pistes. Mais qui ? C'est chez le fleuriste que j'ai eu l'illumination. Les roses que tu m'as envoyées étaient des Chicago Peace. La paix de Chicago ! Tout le passé a ressurgi. À l'époque, je ressemblais beaucoup aux jeunes filles que tu as tuées : je portais les cheveux longs, j'étais mannequin... Et je recevais des lettres d'amour d'un mystérieux admirateur, dont nous nous moquions ensemble. C'était toi, n'est-ce pas ? Tu espérais vraiment obtenir la paix en te vengeant ? Ton plan était machiavélique : tu attirais facilement tes victimes dans la réserve en leur montrant ta carte. Qui, mieux qu'un policier, obtient qu'on lui obéisse ? Ensuite, bien à l'abri, tu leur brisais le cou. Il ne te restait qu'à suivre pas à pas le déroulement de l'enquête, collé à mon ombre. Espèce d'ordure, siffla-t-elle. Je comprends pourquoi tu as abandonné tes études de psy ! Tu te faisais peur ! Tu pressentais ta folie.

Garrigue voulut parler, mais ses yeux se troublèrent. Dans un ultime effort, il parvint à arracher au néant qui l'engloutissait ces derniers mots :

– Je t'aimais, Florence ! Je t'aimais tant…

Un soubresaut agita son corps. L'assassin des vitrines dormait pour toujours.

ÉPILOGUE

La voiture de police hululait en sillonnant les rues. Blottis l'un contre l'autre sur la banquette arrière, Gilles et Isabelle, main dans la main, contemplaient le paysage. Jamais Paris ne leur avait paru si magnifique ! Encore sous le choc, ils prenaient lentement conscience du sort auquel ils venaient d'échapper.

– Un sacré Noël, n'est-ce pas, Mestier ? dit le passager avant au conducteur. Les exploits du patron vont rejaillir sur tout le service !

– Tu as raison, Cuvier. Pour un exploit, c'est un exploit ! Le commissaire a joué à quitte ou double. Garrigue ne s'attendait pas à être découvert, au contraire ! Il pensait qu'elle viendrait lui prêter main-forte contre « l'assassin » et escomptait profiter de sa méprise pour l'éliminer. Tu imagines la suite... Les trois témoins supprimés, il pouvait invoquer un traquenard, une lutte

153

confuse au moment de l'arrivée du patron ! Il aurait déclaré avoir tué le prétendu assassin en état de légitime défense. Peut-être même se serait-il volontairement blessé pour donner plus de poids à ses propos. Personne n'aurait pu contredire sa version des faits !

Le dénommé Cuvier se retourna.

– Ça va les jeunes ?

Isabelle, la tête sur l'épaule de Gilles, cligna des yeux en signe d'acquiescement. Le cauchemar était enfin terminé. Ils étaient vivants. Elle pensa aux trois monstres Lacroix, qui découvriraient leurs cadeaux de Noël dans quelques heures, au portemanteau de la rue Myrha, orné de guirlandes. Machinalement, elle caressa la ficelle du gri-gri. Les pouvoirs magiques d'Oumar étaient-ils pour quelque chose dans ce dénouement ? En tout cas, elle avait eu de la chance. Beaucoup de chance.

Son regard rencontra celui de Gilles. Ils se sourirent. Le jeune homme se pencha.

– Vous avez le téléphone dans votre voiture ? demanda-t-il d'une voix un peu rauque.

– Bien sûr, répondit Cuvier.

– Vous pouvez faire un numéro pour moi ?

– La famille ? s'enquit Mestier.

Gilles sourit :

– Non, des amis. Rosa et Manu Hernandès. Je voudrais leur souhaiter un joyeux Noël.

Il se tourna vers Isabelle et ajouta dans un sourire :

– Je n'ai pas prononcé ces mots-là depuis quatre ans...

Les deux policiers échangèrent un regard perplexe. Cuvier haussa les épaules et marmonna, l'air entendu :

– État de choc...

Son collègue jeta un coup d'œil dans le rétroviseur.

– Ou alors, un miracle ! Le miracle de Noël.

Au centre du rétroviseur, il voyait deux têtes de rescapés... Deux têtes d'amoureux.

Le sourire aux lèvres, il appuya sur l'accélérateur.

Policier

E COMMANDEUR

L'AUTEUR

Née en 1964, Nathalie Charles passe sa jeunesse dans un petit village perdu dans la campagne, près de Nevers. Ses deux passions d'enfant unique sont l'école et la lecture. Rien d'étonnant alors à ce qu'elle souhaite devenir professeur de français !

À dix-sept ans, elle s'installe à Paris, où elle vit toujours, pour faire des études de lettres classiques. Parallèlement, elle fréquente les milieux musicaux et monte un groupe de rock dont elle sera la chanteuse.

Depuis trois ans, elle partage son temps entre son lycée du Val-d'Oise et sa vaste cuisine, dans laquelle elle concocte des romans pour la jeunesse. Qu'elle soit devant ses élèves ou face à son ordinateur, c'est toujours la même passion qui l'anime : celle des mots et des livres.

Achevé d'imprimer en mars 2000
sur les presses de l'Imprimerie Moderne de l'Est
25110 Baume-les-Dames
N° d'impression : 14090
N° d'édition : 3414